最短最速で人生が変わる

0→1《ゼロイチ》で「稼ぐ」

〃新規事業発想〃の個人ビジネス

SNSマーケター
まるお

ぱる出版

はじめに

はじめまして。SNSマーケターのまるおと申します。

この本を手に取っていただいた方は、物価の上昇などによる生活の不安や、自己実現の意欲から、**「自分の力で稼ぎたい」**と考えていらっしゃる方ではないでしょうか。

でも、「何から始めたらいいかわからない」「自分には売れるものが何も無い」とつまずいてしまう人は多いものです。

本書は、そんな初心者の方でも最短最速で稼げる〝**新規事業発想のコンテンツビジネス**〟を解説しています。

さて、ここで皆さんにまず認識していただきたいことがあります。

自分の力で稼ぐ＝ビジネスを立ち上げることです。

取引でお金のやり取りが発生しますから、考えてみれば当たり前の話ですよね。

でも、今まで様々な「稼ぎたい」人と出会ってきましたが、**この認識が抜けている人が非常に多いです。**

これは生活費の足しになるような金額を目的とした副業であろうと、起業であろうと変わりません。大げさに言っているわけでもありません。

この認識ができていない人は、満足な金額を稼ぐことは難しいでしょう。


自分の力で稼げるようになるには、稼ぐことの認識を改め、**「ビジネスに対する知識」を得る**ことが必須です。この知識が不十分のまま副業を始めたり、起業・独立すると、志半ばで事業をたたむことになったり、中途半端な金額しか稼げない、という風になってしまうかもしれません。

私がこの本を書くに至ったのは、そんな「個人で稼ぎたい！」という志ある方が、ビジネスの土俵に上がるための基本知識を備え、実際に稼ぐノウハウを知ってほしいと思ったからです。

さて、ここで私まるおが何者なのかを簡単にお伝えできればと思います。

私は理系大学院でプログラミングを学んで卒業し、大手TV局のSNSマーケティング担当をした後、新規事業部で働いていました。新規事業部には、様々な業界でトッププランナーとして働いてきた百戦錬磨のプロフェッショナルが所属していて、そこで徹底的に新規事業を学びました。

現在はこの新規事業部での経験を活かし、コンテンツビジネスを始めたい方に向けたコンサルティングサービス事業で起業、Xアカウント開設後8ヶ月で1.6億円を売り上げています。

この事業では、ビジネスの知識を教えるところから、それをベースとした事業構築・セールス・事業拡大までをサポートしており、たくさんの受講生が自分の事業を構築しています。卒業生の中には、何千万単位の稼ぎを出している方もいらっしゃいます。


すでに事業を始めている方の中でも、新規事業の構築の基本がわかっていない人がたくさんいます。

本書では、私がかつて大企業の新規事業部で学んだメソッドを、個人のコンテンツビジネスに落とし込み、自身で実践、さらに多くの受講生を成功に導いた内容のすべてをお伝えします。これを知るだけで、新規事業の構築がわかっていない人とは簡単に差をつけることができるでしょう。

実際に私はこのメソッドを使って、営業開始後3週間で売上0から3500万円、Xアカウント開設後8ヶ月で累計売上1.6億円を突破しました。

本書で提唱する新規事業発想のコンテンツビジネスならば、**最初から副業・兼業で1ヶ月に100万円以上稼ぐことも不可能ではありません。**そのくらいの金額がコンスタントに稼げるようになれば、あなたの人生は大きく変わっていくはずです。

本書は、２０２４年1月現在の情報をもとに執筆されたものです。これ以降の変更や更新、改廃などによっては、本書と事実や現象が異なる場合があります。本書を参照したことによって生じた障害、損害等について、ぱる出版及び著者は如何なる責任も負いません。

第1章

これからの時代、自分の力で稼ぐために

SNSで「楽しく」「好きなことで」稼げる時代は終わった

「好きなことで、生きていく」

このフレーズを皆さん覚えておいででしょうか。2014年、YouTubeはTVCMをはじめ、様々な広告媒体でこのコンセプトを発信し、急速にユーザー数を拡大しました。この「好きなことで、生きていく」というフレーズと、身近なYouTuberの動画を見て、「YouTuberって楽しそうだな」と思ったことがある人もいらっしゃるのではないでしょうか。

YouTubeは、投稿した動画に広告枠を付け、その再生数に応じてGoogleから広告費の分配を受けられます。

他にも、Instagramなどでインフルエンサーがコスメや美容グッズなどの商品を紹介している投稿を見かけたことがあると思います。これはフォロワーのたくさんいるアカウントでその企業の商品を紹介し、報酬をもらうというビジネスモデルで、ここ10年で一般の方にもかなり浸透した考え方です。

このことから、YouTubeやSNSが稼げると認識する人が増えると同時に、簡単に稼げるというイメージを持つ人が急増したことでしょう。

確かに、各種SNSは基本は無料ですし、色々なインフルエンサーの企画や投稿を見て「自分でもできそう！」と思う方も多いでしょう。ですから「自分の力で稼ぎたい！」と思った時に、SNSが真っ先に候補に挙がるのも不思議ではありません。

しかし、**再生数やインプレッション数を稼いで広告収益の分配をもらうというビジネスモデルは終わったと言っても過言ではありません。**広告収益だけで生計が立てられるようなインフルエンサーもいますが、あくまで一部です。今から始めてそこを目指すのはかなり難しいでしょう。

PR案件型のビジネスモデルはまだ需要もありますが、インフルエンサーの数も増えています。相当数のフォロワーがいるようなアカウント以外は、一回の報酬額が安くなっているのが現状です。

誰もが無料で参入できるSNSの世界は、当たり前ですが競合が多すぎて、そこからずば抜けて注目されるためにはかなりの差別化が必要なのです。

一方で、**私もSNSを活用して8ヶ月で1.6億円を稼ぎました。**では、めちゃくちゃ面白い動画を作ってバズったのかと言われると、そうではありません。繰り返しになりますが、再生数やインプレッション数で広告収益を稼ぐ、いわば受け身のビジネスモデルは、私のような一般人が今取り組むのは難易度が高すぎます。

では、どのように1.6億稼いだのか。

最近はSNSを活用したビジネスモデルが大きく変容しています。SNSで集客し、セールスをかけ、商品を売るという攻めのビジネスモデルです。私が活用したのも、このモデルです。

例えば、有名なインフルエンサーがアパレルブランドやコスメブランドを立ち上げ、SNSで集客し商品を販売しているのを見たことがあるはずです。
これと同じことが、誰でもできるようになっているのが今のSNSです。

パーソナルトレーニングを例に挙げましょう。有名なインフルエンサーに頼もうとすれば、複数回のコースで数十万円の費用がかかるところを、個人のトレーナーに頼めば複数回のコースでもっと安価に頼むことができます。ある程度信頼できるような実績がある人だったら、あなたも後者に頼んでもいいかな、と思いませんか？

実際、このような購買行動を起こすユーザーが増えています。会ったことが無くても、SNSで「この人よさそう！」と思った人のすすめる商品を買うことが、もはや当たり前になっているのです。他にも、英会話、家の片付け、コーチングなど様々な分野の商品が、SNSならではのメリットを活かしてビジネス化しています。
最近では有名インフルエンサーでも、YouTubeの広告収益分配より商品の売上収益の方が多いという話も聞くほどです。

簡単に言えば、この**消費行動の変容により、個人にも商品を売るチャンスが増えたわけです。**

一方で、個人で稼ごうとSNSを始め、失敗する人たちもたくさん存在します。私は、彼らに対して共通して思うことがあります。

ビジネスの知識がなさすぎる。

先ほど述べた通り、皆さんSNSで稼ぐというと、「楽に」稼げるイメージがあるので、「面白いものでバズって人気者になればいいんでしょ?」と安易に手を付け始めるのです。

ですが、一度立ち止まってよく考えてみてください。「稼ぐ」というのは、自分が販売主になり、買ってくれるお客様に商品を売ることです。これは接客業でもSNSでも変わりません。つまり、たとえ本業の傍らの副業であっても、フリーランスであっても、**「稼ぐこと=ビジネス」として本気で向き合わなければ成功しない**

のです。

そしてもう一つ。『はじめに』でもお伝えしましたが**自分の力で稼ぐ＝ビジネスを立ち上げること**として捉えましょう。本書ではSNSを活用した個人ビジネスを前提に話を進めていきますが、これは、何を始めたとしても同じ話です。

「自分の力で稼ぐ」というのは一人でビジネスの土俵に上がること、つまり、**新しく事業を起こすこと**です。そして、並み居る競合に勝っていくことで、初めて稼げるようになるのです。

その戦略立案のためにも、新規事業の立ち上げに関する知識は必順です。

これらの事実に気付かないまま、無闇にSNSを始めても十中八九稼げないでしょう。人生が変わるようなお金を稼ぎ出すことは到底不可能です。

最短最速で稼ぐビジネスモデル

― ビジネスの基本を理解せよ ―

まずは大前提となるビジネスの構造を押さえておきましょう。

ビジネスの基本は、**顧客に商品を売って価値を提供し、それに対して顧客から対価を得ること**です。

本当に当たり前のことですし、自分自身の生活でも物を買う時はこの活動が発生しています。ですが、会社に勤めていて、お金を扱わない部署だったりすると、この認識が甘い方もいるので改めて確認しています。

この得られた対価が売上、売上から商品を作るにあたってかかったコストを差し引いたものが収益、つまり手元に残るお金です。個人の場合は、この手元に残るお金を増やすことが最終的な目標になる方も多いでしょう。

図1　ビジネスの仕組み

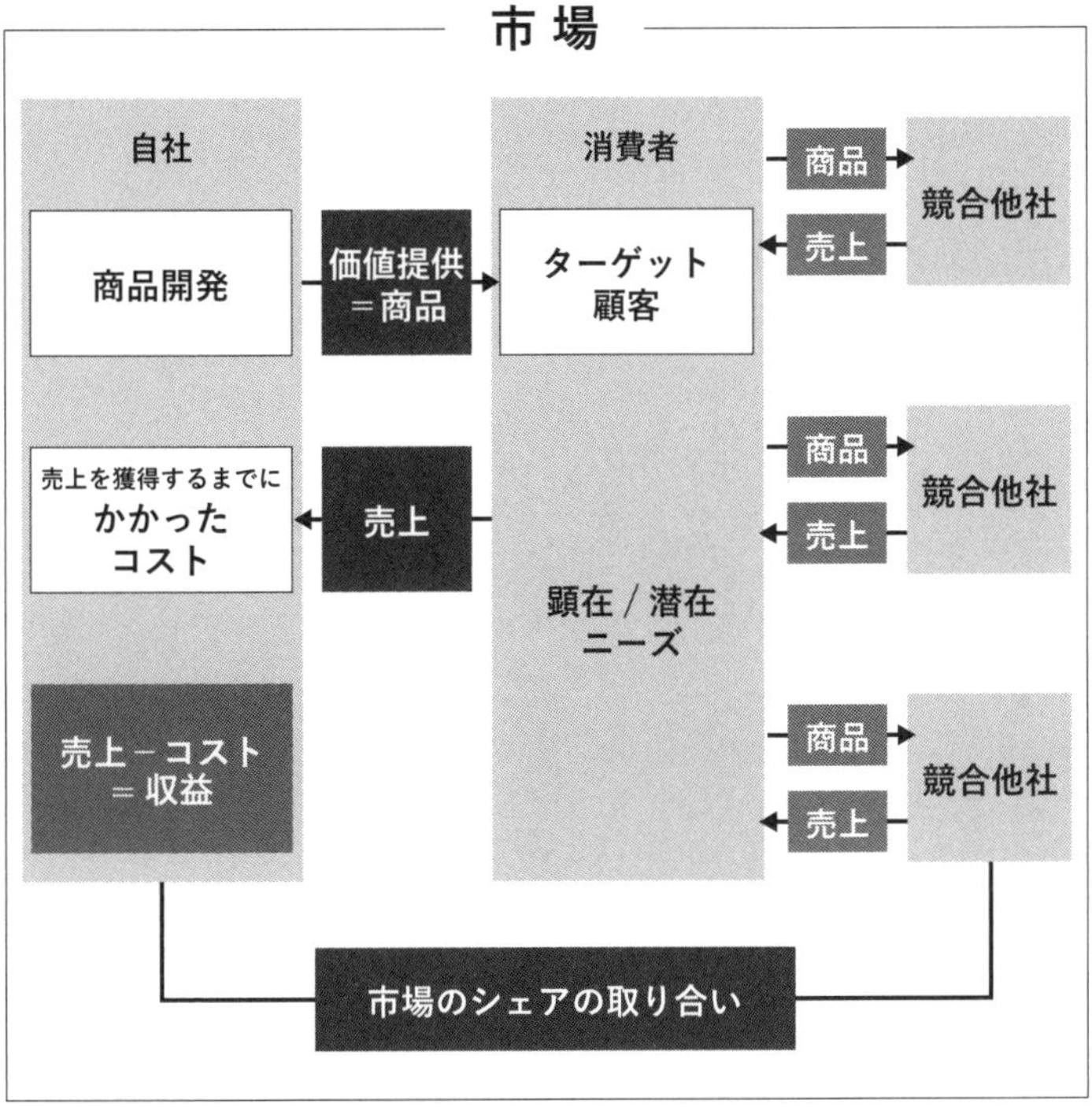

出典：アレックス・オスターワルダー、イヴ・ピニュール「ビジネスモデル・ジェネレーション　ビジネスモデル設計書」を参考に、著者作成

―個人が最短最速で稼ぐにはコンテンツビジネス―

個人、特に初心者が最短最速で人生を変える金額を稼ぐには、**コンテンツビジネスのビジネスモデルを活用するのが圧倒的におすすめ**です。これにはいくつか理由があります。ただ、「コンテンツビジネス」という言葉自体に馴染みの無い人が多いと思いますので、まずはその説明から入りましょう。

コンテンツビジネスとは、**自分が持つスキルや知識、経験をコンテンツとして商品化して、インターネットを経由して顧客に販売する**ものです。最近流行っているもので言うと、ｎｏｔｅの記事販売、オンラインスクール、セミナー、コンサルティングなどが挙げられます。他にも、英語、ヨガ、料理などの教育系が人気のジャンルです。もっと身近な例で言えば、小学生が自宅で学ぶテキスト形式の講座も、昔からあるコンテンツビジネスのモデルです。

個人の場合、情報として提供するコンテンツは、あなたの持っている知識や経験をもとにした、オリジナルの商品になります。

私の場合は、大手TV局の新規事業部で培った新規事業に関する知識と稼げるコンテンツビジネスのノウハウ、それに伴ったコンサルティングサービスを商品にしています。

私の受講生の中では、3ヶ月で10キロ痩せた経験を持つ方が、ダイエットのパーソナルコンサルティングを商品にしていましたし、以前から発酵食品を取り扱う事業を行っていた方は発酵食品に関する知識をコンテンツとして販売し、さらに発酵食品自体の販売につなげていました。このように、あなたがすでに持っているスキルや知識が商品になるのです。これが初心者でも始めやすい理由です。

さらにこのビジネスモデルには特徴があります。それは、**あなたの「人の役に立ちたい」という熱い想いがあり、あなたにしかできない・教えられないコンテンツであれば、熱烈なファンがついてくれる**点です。

人間は、思っている以上に感情で商品を購入します。この人柄だから、この人から購入したい、学びたいという気持ちが働くのです。おかげさまで私も、Xのスペースのインタビューを聞いて「まるおさんの人柄に惹かれた」「ぜひまるおさんから学びたい」とおっしゃってくださったお客様がたくさんいます。

企業はブランドイメージを大切にするように、個人のコンテンツビジネスでも、ブランディングが重要です。あなたの個性も、商品の一つとなるのです。

コンテンツビジネスは、まだ個人でやっている人が少ないモデルでもあります。ビジネスで勝つには、**先行者利益を取っていくことも非常に重要な戦略**です。だからこそ、始めるなら今です。

― コンテンツビジネスがおすすめの理由 ―

ここまでコンテンツビジネス概要と特徴を説明してきましたが、他にも5つおすすめの理由があります。

①利益率が高い

自分の持っている知識や経験を、Googleスライドなどを用いてコンテンツ化して販売するため、多額な初期費用や設備投資がかかりません。労力や準備時間を除けば、**ほぼ原価ゼロの優秀な利益率**が実現できます。また、物品販売のように在庫リスクを抱える心配もありません。

②商品特性

物品の販売とは違って、知識や経験というコンテンツに**値付けの相場はありません**。競合をリサーチすることは必要ですが、提供するコンテンツの価値に合わせて自分で価格設定ができるという商品特性があります。

③即効性

利益率が高いため、**初心者でも売り上がれば大きな利益をすぐに達成できます。**

④持続性

良質な価値のある商品であれば、**長期間にわたって需要が見込めます**。時間が経過しても内容が古びず価値のあるコンテンツはエバーグリーンコンテンツと呼ばれ、何年にもわたって集客・販売ができるため、持続的な収益が期待できます。

とはいえ、世の中のニーズが変わり、商品が売れにくくなることはあり得ます。その場合でも、コンテンツのベースが知識や経験なので、世の中のニーズに合わせた形で変容させていきやすいです。

⑤再現性

ビジネス未経験の初心者でも、**スキームをきちんと学べば、誰でも収益が出るようになるという再現性の高さ**もおすすめの理由の一つです。特にコンテンツビジネスは、最初に手間と時間をかけて自動化しておけば、稼働を最小限に抑えて収益を得られるというメリットがあります。

─ まるおの講座の受講生も、多くの人が稼いでいる ─

ここまで聞いて、コンテンツビジネスの良さを感じてくださった方も、「本当に稼げるの?」と懐疑的に思っている方もいらっしゃるのではないでしょうか。

ここで、まるおの行っているコンテンツビジネス講座の受講生で、実際に稼いだ方の事例を紹介します。

【事例1】営業スキルに特化して、3ヶ月で0→3000万円の成果

本業で法人案件を多く抱えるトップセールスの受講生の方は、ご自分の営業スキルを他社の営業部門にセールスして、営業セミナーなどを行っています。この方は、3ヶ月で3000万円の成約ができました。営業スキルというのはニーズが高いため、売れやすい商品です。

まるおのコンテンツビジネス講座に参加するまでは、誰かに営業スキルを教えて儲けるという発想は無かったそうですが、「トップセールスのスキルを学ぶ」という商品で素晴らしい成果をあげることができました。

【事例2】コーチング×転職で成約率75％達成、1ヶ月で0→100万円

元々コーチングでコンテンツビジネスに取り組んでいた受講生ですが、コーチングと転職をかけ合わせた商品を開発。1ヶ月で100万円の売上を達成しました。彼の場合は1ヶ月かけてしっかりと市場と競合の分析を行い、競合優位性を打ち出して明確なポジションを得られたのが勝因です。自己分析のコーチングと転職アドバイスが人気となり、成約率75％を達成、コンスタントに売上を伸ばしています。

【事例3】「せどり」のノウハウをサブスク提供、2ヶ月で0→100万円

「せどり」のノウハウをサブスク形式で提供した受講生は、2ヶ月で100万円を売上げました。せどりは今、誰でも始めやすいビジネスとして人気が高く、そのニーズを狙ったスキルがユーザーに受けたのです。サブスクでの提供ということで、継続性も期待できています。

他にも受講生からの成果申告は日々寄せられており、私も嬉しい想いでいっぱいです。今までは自己流のセールスで50万／月で頭打ちだった方が、私のマンツーマ

ンのコンサルによって、350万円／月を達成し、その後も毎月250万円の売上で推移しているという方もいます。

もちろん、すべての受講生が稼げているわけではありません。稼げていない人もいます。彼らに共通するのは次の章で紹介するマインドセットを切り替えられていない点です。

私が講座で受講生に常に言い続けているのは、**圧倒的な行動量、試行回数の多さ、まずは自分で考えること、諦めないで行動し続ける**ということです。コンテンツビジネスは誰でも取り組めるビジネスですが、自分自身で成功をつかむためには、そのくらいの努力が必要です。

その言葉を真摯に受け止め、自分のビジネスを成功させようと真摯に取り組むことができた人が、自分のスキルやノウハウを活かしたコンテンツを開発・販売して最終的な成果につながっています。

まるお式〝新規事業発想〟のコンテンツビジネス

本書で紹介する「まるお式コンテンツビジネス」のメソッドのミソは、**〝新規事業発想〟**です。

ゼロスタートのビジネスでは、すでに確立されたセオリーをなぞって進めていくのが一番の近道と言われますが、このメソッドは企業が新規事業開発を行う時のセオリーがベースになっています。

なぜ新規事業発想かというと、先ほどもお伝えした通り「稼ぐ＝ビジネスを立ち上げる」ことだからです。新しくビジネスを立ち上げるのだから、新規事業を作る時のセオリーを用いるのは当然の流れです。

一般企業では収益のあがらない新規事業は、どんどん無くなっていきます。その判断は非常にシビアで、一見うまくいっているように見える事業でも、コストのバランスが悪ければたたむこともあるほどです。それほど新規事業とは成功させることが難しいのです。

私は、大学院を卒業して入社した大手ＴＶ局の新規事業部で、世界のトップランナーといってもふさわしい先輩方から、徹底的に新規事業開発を叩き込まれました。さらに社内の新規事業提案コンペにて最年少で優勝し、ＡＩ技術を用いた独自のプロジェクトをリーダーとして成功させた実績があります。

このゼロから新規事業を始め、成功してきた経験のすべてを、個人のコンテンツビジネスに落とし込んだものが「**まるお式〝新規事業発想〟のコンテンツビジネス**」です。これからコンテンツビジネスを始めたいという皆さんには、ぜひこの〝新規事業発想〟を身に付けていただきたいと思います。

― 新規事業開発の流れ ―

さて、まるお式新規事業発想のコンテンツビジネスの具体に入る前に、前提となる一般企業の新規事業開発のことを学んでおきましょう。本当はこのプロセスも徹底的に学び、理解していた方がいいのですが、それだけで本が一冊書けてしまうくらいの内容なので、ここでは全体像をつかむ程度にしておきます。

左に示した図が一般的な「新規事業の開発プロセス」です。**コンテンツビジネスの場合は、このプロセスの中でも「商品設計」の部分が非常に重要**となります。

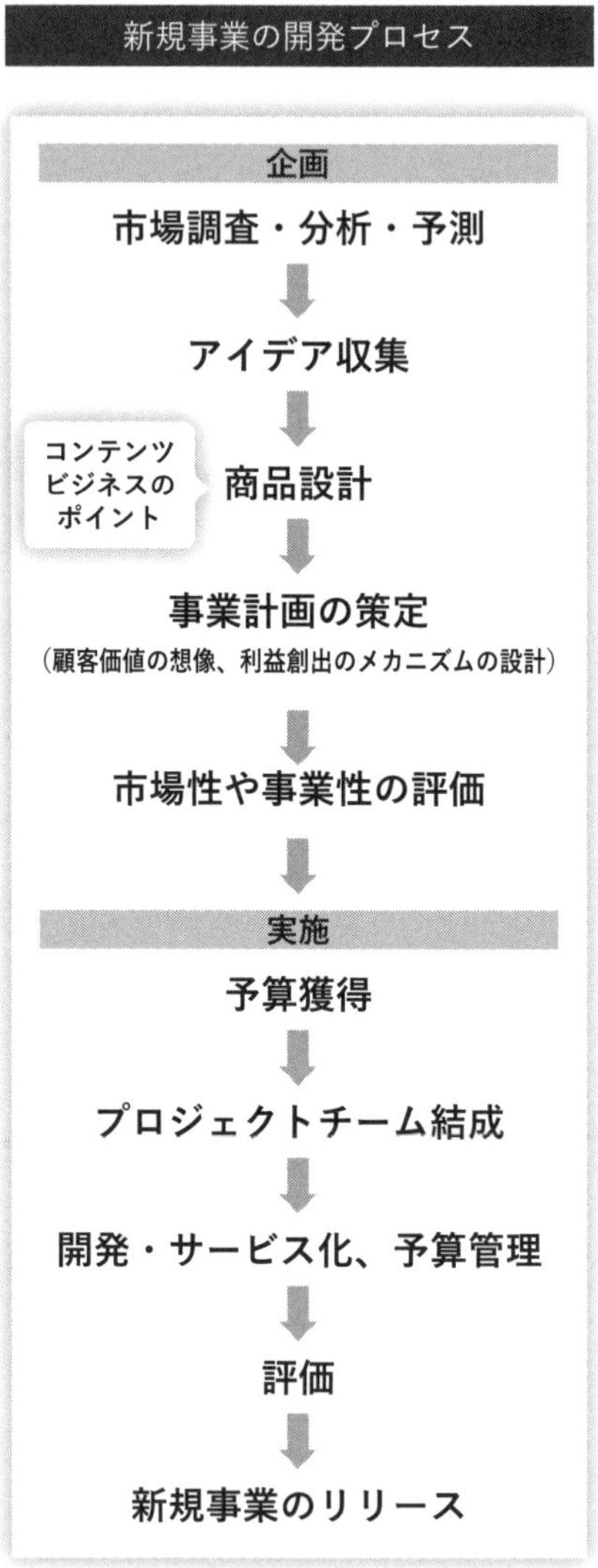

市場調査・分析・予測を踏まえて、良い商品が設計できれば、顧客の課題を解決する売れる商品が誕生します。

さて、ここで一つ質問です。良い商品とはなんだと思いますか?

答えは、**PMF(プロダクト マーケット フィット)が実現できている商品**です。

PMFとは**顧客を満足させる商品が、適切な市場に受け入れられ、自然と売れていく状態**を意味しています。(※PMFについては第3章で詳しく紹介します。)

PMFできている商品は、基本的に消費者に良い商品と評価され、売れていきます。顧客の悩みや課題に寄り添っている商品なので、ドンピシャで課題を解決してくれるからです。

例えば、エアコンは「暑くて快適性や作業効率が低下する」という課題を解決するために、室内の温度を下げる商品です。どんなに見た目がスマートで、燃費効率が抜群に良かったとしても、温度を下げられないエアコンは買わないですよね。

たいていの人は、自分が商品を選ぶ時に「この商品は自分の課題をどのくらい解決してくれるのか？」を考えるのに、**自分が商品を設計して売る立場になった途端に、顧客の課題に寄り添った思考が失われてしまいます。**

商品設計を行う際には、常に「この商品は、顧客の課題を解決するものか？PMFはできているか？」という自問自答を繰り返すことが非常に重要になってきます。

―まるおが3週間で3500万円を稼いだ方法―

私がビジネスでこれだけの成果を上げることができたのも、商品を設計する時にこのPMFという考え方を重要視したからです。

実は起業当時、私は絶対にコンテンツビジネスで起業しようと思っていたわけではありませんでした。ですが、ビジネスモデルを考えた時に、自分の培ってきた新規事業開発の知識が、コンテンツビジネス市場に非常にニーズがあると気付いたのです。そうしてできたのが、「コンテンツビジネスのコンサルティングサービス」でした。

当時の状況を簡単にお話すると、コンテンツビジネスは黎明期で、ネットビジネスにおけるマーケティングの重要性やビジネスモデル構築の重要性を語る専門家はほとんどいませんでした。「SNSで簡単に稼げる」というイメージだけが先行していて、その情報を得た人達がむやみやたらに起業しては失敗している状況だったのです。

そんな状況のため、稼ぐために最適化された大手企業も実践している新規事業開発のノウハウに則った手法で、かつ初期投資が少なく、簡単に始められるというのが売りになり、私の商品は飛ぶように売れていきました。少人数受講者制で手厚いサポートにすることで、競合優位性も担保していたのも良かった点です。

結果、3週間で0→3500万円の売上、8ヶ月で1.6億円の売上を達成しました。頭一つ抜きんでた実績を挙げたため、多くの顧客の信頼を得ることができたのです。

―コンテンツビジネスで稼げる人、稼げない人―

受講者の事例でもわかるように、成果を出している受講者は、まるお式コンテンツビジネスのメソッドを徹底的にやり込んでいます。きちんとPMFが達成できるまで本腰を入れたセールスは行わないように受講生には厳しく指導をすることもあります。それだけこのステップを積み重ねることが成功への近道だということです。

しかし、楽をしようとする人が非常に多いです。

あくまでも本業の隙間で行う個人ビジネスだからでしょうか？
そもそも、副業で稼ぐことをビジネスとして捉えていないのでしょうか？

人は楽をしたい生き物です。そうなってしまう気持ちもわかります。
しかし、**稼ぎたいのであれば、すべてのプロセスで手を抜いてはいけません。**
私は新規事業だからこそ、ビジネスだからこそ、時間を費やして市場調査を行い、商品を設計し販売していくことが重要だと、この後も繰り返しお伝えしていきます。それが最短最速で売上につながることを知っているからです。

今のあなたがあるのは、過去に努力したあなたの成果です。未来のあなたを作るのは、今のあなたの努力です。

人生のゴールは、もうここでいいのでしょうか？可も無く不可も無い、現状維持でいいのでしょうか？

私はビジネスを立ち上げるにあたって、3ヶ月間、毎日21時間作業しました。その努力の結果が自分の成果です。これからも努力を止めることはありません。

今も自己投資として6つの講座に入って学び続けています。かけた時間やお金がすべてではありませんが、成功している人は圧倒的な行動をしていると、個人的には感じます。

以前、新規事業部でご一緒した大先輩に言われました。

「ボーナスが入ったらすべて自己投資に使え。モノや娯楽は消費するだけでなくなってしまうけれど、自分が得た知識やスキルは一生無くならない財産になる。新規事業は、色々な知識をフルで使って闘う総合格闘技だから、スキルを身に付けるんだ」と。

だから私は今も、常に学び行動します。皆さんもそうであってください。

そのスキルやノウハウを活かしたビジネスで稼ぎ、人生を変え、チャレンジし続けられるようになってほしいと思います。


そのためには、第2章でお伝えするマインドセットが重要です。

あなたのマインドを総入れ替えする気持ちで次章を読んでください。

第2章

成功のための最強のマインドセット

すべての土台はマインドセット

あなたにどれほど素晴らしいスキルやノウハウがあっても、ビジネスとして軌道に乗せて継続していくためには、**土台となるマインドセット**が必要です。この土台がしっかりしていなければ、努力を積み上げたとしても、根本から崩れやすくなってしまいます。ビジネスにはトラブルが付きもの。その時に崩れない土台は、成功させたいというあなたのマインドです。

前章でコンテンツビジネスのメリットを聞いて、「誰でもできて、何でも商品になり、資本金が少なくても始めやすいから自分でも簡単にできそう」と思った人もいるかもしれません。しかし、その考えでビジネスを始めたとしても、実際には稼げないのが現実です。そこには、**ビジネスとして稼ぐために不可欠な「経営者としてのマインドセット」**がすっぽりと抜け落ちているからです。

予備校に入るだけでは、東大に合格しません。

ダイエットサプリを買うだけでは、痩せません。

本を読んだだけ、講座に入っただけでは、ビジネスの成果は出ません。

あなたの**マインドセットを変えて行動しない限り、何にも手に入らない**のです。

― 失敗する人のマインドセット ―

先に私の講座の受講した中で、中途半端に諦めてしまう人に共通する特徴をお伝えしておきます。

それは、「**お客様思考**」であること。具体的に言うと、講座で「やれ」と言われたことしかやらず、その後自分がどう行動すべきかを指示されるのを待っています。

反対に成功する人は「やれ」と言われたことをやるのは当然で、さらに実行する上での問題点を考えてきたり、その後の行動パターンを何種類も考えてきて、何がベストかを一緒に考えてほしいと相談してきたりします。

この「自分のビジネスを成功させるために何ができるか？」を考えることは、ビジネスを成功させたいという「経営者マインド」が備わっていないとできません。

私の講座に来てくれる方は、ビジネスを始めたいという志もあり、バックグラウンドも様々で素晴らしい経験を持っているのですが、このマインドセットが変えられずに挫折する方が非常に多いです。

マインドセットには、経験、教育、先入観、価値観、信念など、物の見方や考え方が含まれています。**マインドセットは自分次第で、新しく塗り替えることができます。**

稼ぎたいと思っていて、稼ぐチャンスを持っているにもかかわらず、マインドが変えられずに稼げないのは非常に勿体ないことです。

ですから、この本を手に取っていただいた方にはまず、マインドセットから変えて欲しいと思います。

成功に必要不可欠な「経営者マインド」

私の講座では、最初に「あなたはこれから、経営者になります」と宣告します。**個人でビジネスを始めるというのはつまり、自分が経営者（社長）**だからです。

さて、もしあなたが脱サラして始めたビジネスで稼げなかったとしたら、あなたの生活はどうなるでしょうか？

当然ですが、娯楽的なことは一切できなくなります。ちょっとランチをする1000円ですら惜しくなるでしょう。もっというと、住むところを追われ、明日の食事もままならない…。そんな状況に至る可能性だって十分にあります。

日本では、雇われる働き方が主流のため、この感覚が欠けがちです。

ですが、**世の中の経営者は常にこのプレッシャーと戦っている**のです。社員を持つ会社の社長であれば、その社員の人生、社員の家族の人生まで責任が生じます。

このように**ビジネスが成功しなければ、自分の生活が危ぶまれる…**そんな危機感を持って臨んでください。読者の皆様にも危機感を持っていただきたいのではっきりと言いますが、勘違いや甘えた気持ちは捨てましょう。

厳しいことを言うようですが、「そこまで責任を負いたくない」という人は、「自分の力で稼ぐ」という願望を見直した方がいいかもしれません。

なぜなら、**あなたがこれからビジネスで戦っていく相手は、このマインドを持っているから**です。

SNSではそんな様子は一切見せない人でも、成功している人はこのマインドを持って戦っています。常にビジネスのことを考え、時流や競合の動き、新しいテクノロジーにアンテナを張り、差別化や優位性を考えて行動しているのです。

稼ぐには、彼らに勝たなければなりません。

このマインドが無ければ、あなたのビジネスは自然に淘汰されていくでしょう。

― 成功している経営者の共通点 ―

ここで一旦、世の中で成功している経営者の特徴を見ていきましょう。一口に経営者といってもガツガツと社員を引っ張っていく人、普段は社員に任せていて大事なところだけ指示を出す人など、様々なタイプがいますが、共通して言えることは、**常に考え、常に学び、常に自分で決めている**ということです。

そしてもう一つ、共通点があります。

それは**失敗するのを恐れていない**こと。

ただし、闇雲に何でも挑戦するのではなく、確実に勝算があるとわかった時に攻めに転じます。

彼らは常にいくつもビジネスの種をまいていて、適切なタイミングで適切なビジネスにゴーサインを出すことができるのです。

さらに、いくつかのビジネスが失敗しても、いくつかが成功することで特大の損害は出さない構造ができています。だから失敗を恐れず挑戦し、大きなチャンスをつかめるのです。

「失敗は成功のもと」とよく言いますが、これは本当にその通りです。
チャレンジしてうまくいかなかった時に、**「なぜうまくいかなかったのか?」が、さらなる成功のヒントになる**ものなのです。挑戦を怖がって、自分の中の空想で考え続けていては、いつまで経っても成功は勝ち取れません。

さらに、**世の中のニーズへのアンテナを常に張っています。**
ニーズが大きくなる機会を見計らって、顧客が求めている商品を提供できるためたくさん商品が売れるのです。そうなると、事業の規模も拡大していきます。

個人の小さな規模ではここまで必要無いと思われるかもしれませんが、ビジネスで勝ち抜くには、成功し続ける必要があります。

そのために必要なのが「経営者のマインドセット」なのです。

ビジネスには、絶対的な正解はありません。自分で仮説検証を繰り返し、導き出すのです。自ら考え、仕事を作り出し、広い視野で物事を捉え、常に先を見通して成長し続けることが必要です。

成果を出したいならば、どう考えて、どう行動するのか、自分で考える。その姿勢を身に付けましょう。

持つべき7つの「経営者マインド」

経営者マインドの重要性をご理解いただけたところで、経営者マインドの中でも重要な7つのポイントをご紹介します。

ビジネスを始めてすぐや、継続していくうちに、「うまくいかないな」と壁にぶつかることがあると思います。そんな時は、この7つのポイントのうちのどれかが欠けてしまっているかもしれません。

①自分で考え、行動する

これは何度も出てきている**根幹的な考え方**です。

考えることも、行動することも苦手だという人は多いですが、苦手意識を持ったままではいつまでたっても経営者マインドにはなれません。

考えることは、考えることで得意になっていきます。「明日の生活もままならない」の精神で、まずは一つ考えることから始めてみましょう。

行動することが苦手な人は、失敗を恐れてしまう傾向にあります。しかし、起こってもいないことを心配したり、責任を怖がったりしているうちにチャンスは過ぎていきます。**過ぎていったチャンスには、数億円のポテンシャルがあったかもしれません。**そして、もう二度と訪れないかもしれません。そう考えると、行動しない方がもったいないと思いませんか？

自分で考えて行動しない限り、何の成果も生まれません。経営者マインドセットに切り替えて、自分の頭で考え、行動する人になってください。

②お客様思考、他責思考になるな。経営者思考になれ！

お客様思考とは、**常に受動的で何かを待っている停滞した思考**のことです。自分が受け身のお客様状態になっていては、ビジネスは機能しません。

他責思考とは、何か問題があった時に、自分以外の誰かに原因があると考えることです。他責思考の人は、自分が稼げない原因を「景気のせい」「お客様が理解していないせい」などと、自分以外に責任を転嫁して考えます。しかし、ほとんどが本当の理由に直面する勇気がないだけです。先ほども言った通り、失敗は成功のもと。考えを改めて、何故失敗してしまったのかを考える頭に切り替えましょう。

経営者マインドセットでは、お客様思考と他責思考は厳禁。**常にお客様のことを考えて、何か問題があったら、その原因を冷静に分析して改善していく**という経営者思考を身に付けて行動しましょう。

③「正解を他人に求めない」自分で責任を持つ

自分のビジネスは自分で切り開くもの。正解はあなたが作り出すものです。

「正解を他人に求める」行為は、自分の考えや行動の決定権を、他人に委ねてしまうことに他なりません。厳しく言えば、責任転嫁。他責思考の典型です。

アドバイスをもらったり相談をしたとしても**最終的に決めるのは自分だ**という意識を持ってください。あなたが自分で責任を持った決定と行動をすることで、あなたのビジネスは唯一無二の物となります。

④仮説検証するものと心得よ

ビジネスは、**常に自分で試行錯誤して磨き上げていくもの**です。

成功のための正解は一つで、その通りにやれば成果が出ると思い込んでいる人もいますが、ビジネスには絶対的な正解は無いのです。

成果という目標に行き着くには、自分で仮説を立てて検証し、導き出していかなければいけません。失敗を恐れずに試行錯誤を繰り返し、その度に検証して、新しい方法を試します。

私は、失敗したら「ラッキー！」と感じます。失敗は、無料でノウハウを得られることだと考えているからです。失敗を失敗のままで終わらせたら、それは失敗。しかし失敗から学んで、次に活かせたのなら、それはノウハウとなって蓄積されます。

⑤「これでいい」の上限は無い

ビジネスに、上限はありません。例えば、最初に定めていた売上目標をクリアできたとしたも、そこで終わりではありません。「これでいい」と思った時に、成長はストップします。**成長のストップは、停滞と衰退につながります。**

⑥目的を見失うな

細部にこだわりすぎて、目的を見失ってしまうことはよくあります。**ビジネスの目的は、成果を出すこと。**例えばXのフォロワー数を増やすことは、枝葉に過ぎません。本当の目的は、実際にあなたの商品を良いと思って購入してくれる顧客と出会うことです。本来の目的を見失わず、常に成果を考えましょう。

⑦素直に実行する

実は、この7つ目である素直に実行することが一番重要です。

人の意見やアドバイスに耳を傾け、どんどん取り入れて実行しましょう。

時に、自分とは考えが違うな、と思う意見に出くわすこともあります。しかし、顧客もその意見と同じことを思っているかもしれません。自分と異なる意見でも否定するのではなく、一つの意見として受け止める姿勢が大切です。繰り返しになりますが、そうしてトライアンドエラーを繰り返すことが成功につながるのです。

素直に実行することとは、簡単に見えて意外と難しいものです。
私の講座でも、年下の私からのアドバイスは受け入れてもらえなかったり、自分の経験から独自の解釈をしたり、そのフィルターのかかった独自の解釈から抜け出せない人が結構います。自分から、まるおに教えを受けたいと講座を受講しているにもかかわらず、です。

世界で成功している経営者は柔軟な発想と創造力に満ちた考え方の人が多いものです。
素直に実行するためには、殻を破ったりする必要があるのかもしれません。自分の殻を破ることは勇気がいりますよね。

でも、**成功するためには必要なこと**です。成功しようと努力する姿は恥ずかしくも何ともありません。

私はむしろ、そうなることに期待しています。


どうでしょう？

ここまで読んであなたのマインドセットは更新されましたか？

繰り返しになりますが、このマインドセットが更新できずに失敗していく人が後を断ちません。それほど、マインドセットは成功のために重要な要素です。

第3章

0→1を生み出すPMF

「売れる」商品設計に欠かせないPMF

さて、ここまで読んで稼ぐことに本気になった皆さんに、第3章では、〝新規事業発想〟の根幹となる、最も重要な考え方を説明します。

それが**PMF（プロダクトマーケットフィット）**です。

まるお式新規事業発想のコンテンツビジネスでは「何を」「どのように」「どうやったら売れるか」をマーケティング的な視野で考えた上で、事業の根幹となる商品を設計します。

第1章でも顧客の課題を解決する良い商品が設計できれば、自ずと売れていくという話をしましたが、そのためには、顧客のどんな悩みが解決できるかを考え、顧客が買いたくなる商品を設計することが重要です。

商品設計では、顧客ニーズはもちろん、市場ニーズとのすり合わせ、競合の商品リサーチを行い、実際のプロダクト（商品）を作り上げていきます。この検証を何度も繰り返して、ＰＭＦを達成することが最終的な目標といっても過言ではありません。

ビジネスの成功の鍵は、商品で顧客の心をつかみ、ＰＭＦが達成できるかどうかに懸かっているのです。これは個人のコンテンツビジネスでも、企業でも共通していて、ほとんどの新規事業は、ＰＭＦが達成できていない未完成な商

図2　スタートアップ企業の失敗要因

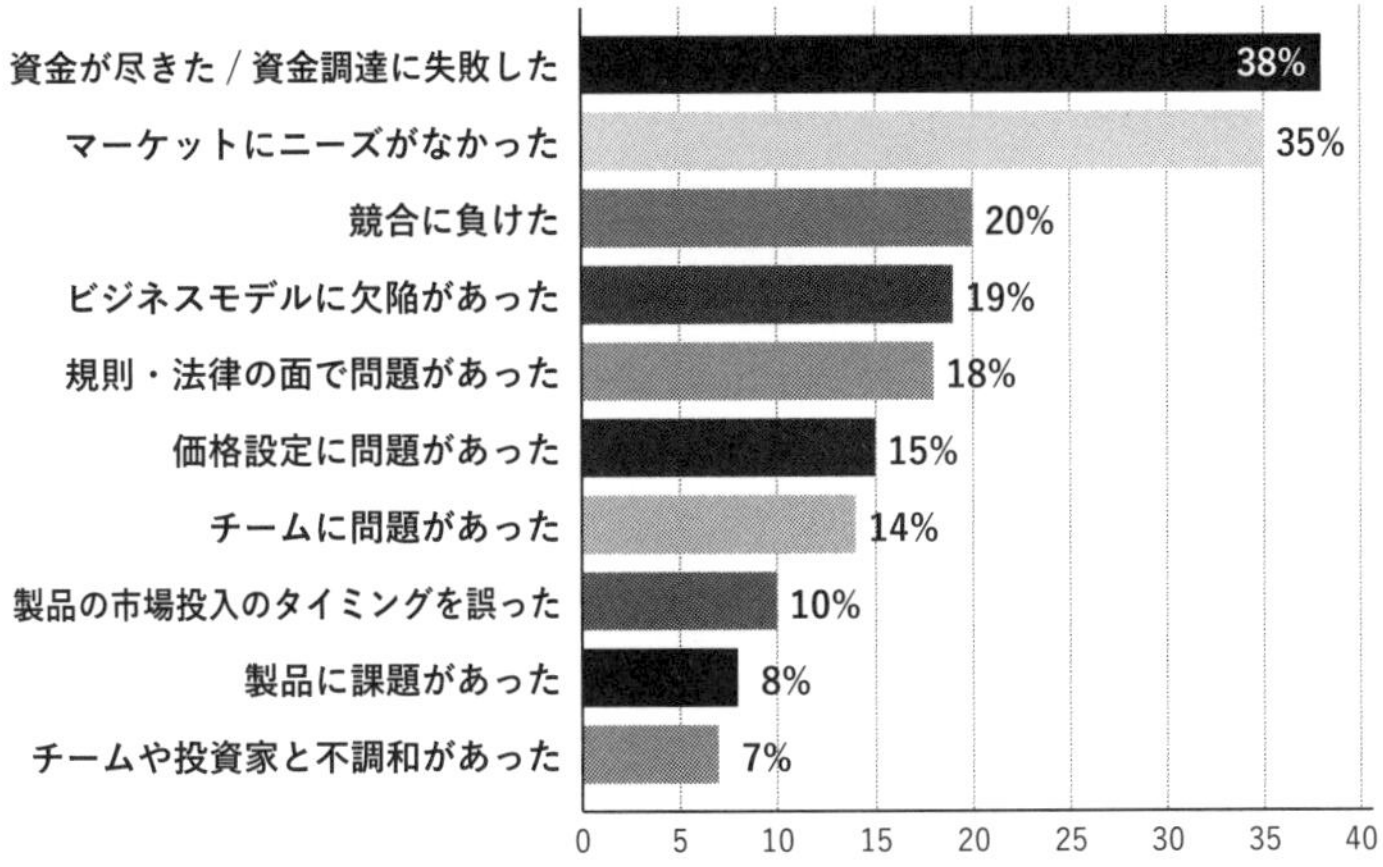

出典：CBINSIGHTS「Top reasons startups Fail」(https://www.cbinsights.com/research/report/startup-failure-reasons-top/)を抜粋し、著者作成

品設計や、市場を見誤ったことによって失敗しています。コンテンツビジネスの成否を分けるのは、ＰＭＦ達成なのです。

―ＰＭＦとは―

さて、ここまで何度か触れていますが、重要な考え方ですので改めて。

ＰＭＦ（プロダクト マーケット フィット）とはマーケティング用語で、**顧客のニーズを満たす商品が、商品の顧客となりうる人が存在する「正しい市場」にある状態**のことを指します。

商品（Ｐｒｏｄｕｃｔ）と市場（Ｍａｒｋｅｔ）とがぴったり適合（Ｆｉｔ）している理想的な状態です。

ＰＭＦを達成すると、広告や営業を行わなくても、顧客が商品を買い続けてくれる、クチコミで他の顧客を連れてくるなど、市場や顧客から引っ張られるように商品が売れていきます。顧客側も、商品を提供する側も、双方がＷｉｎ－Ｗｉｎの状態となるのです。

しかしＰＭＦしていない状態に陥ると、顧客は商品に見向きもしません。

そうなると商品を提供する側は顧客獲得のための営業や広告にコストをかけ始めるのです。個人の場合は資金も少ないですから、すぐにビジネス自体が立ちいかなくなってしまうのは想像に容易いでしょう。

図3　PMFの概念図

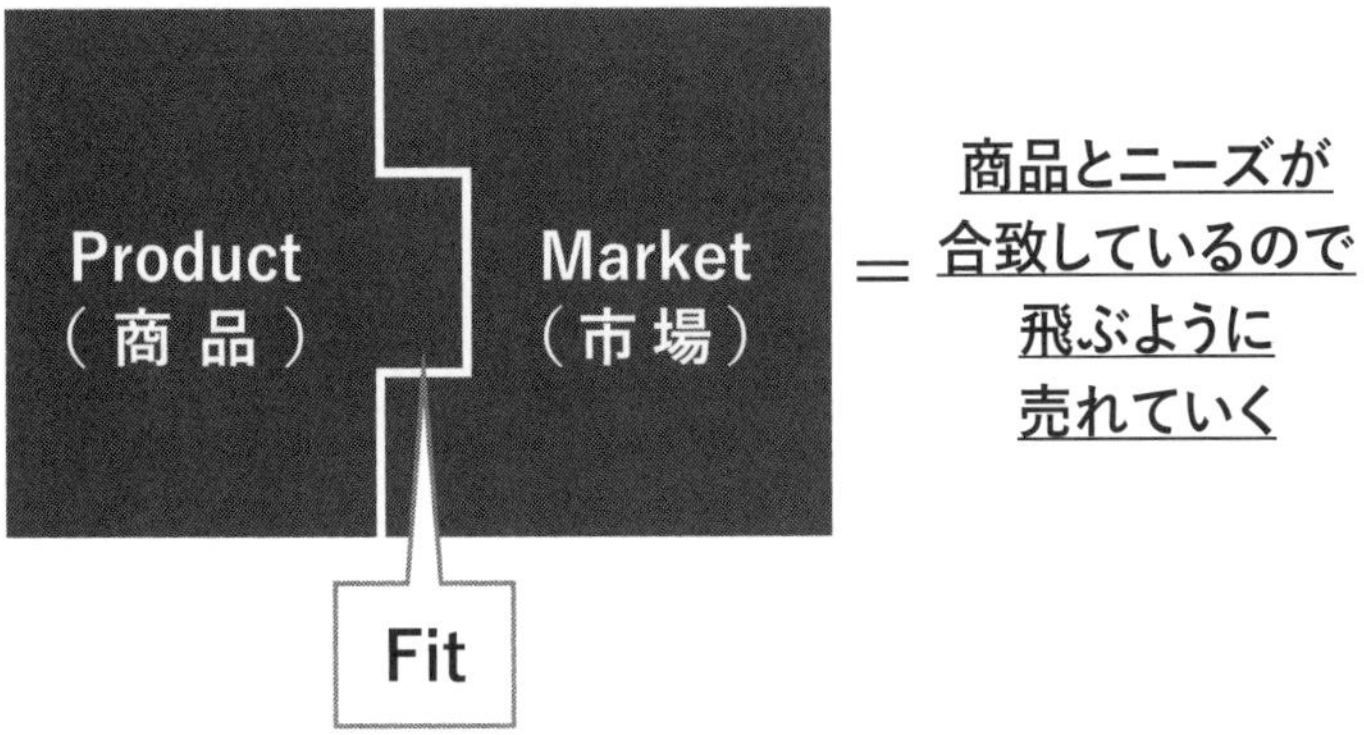

―マーケットインとプロダクトアウト―

ＰＭＦを達成するためには、マーケットイン的な考え方が必須です。

マーケットインとは、市場調査を元に**顧客のニーズにフォーカスして、必要とされているものを優先して作る商品開発**の手法です。顧客のニーズに合わせて商品設計するので、購入される確率も高く、ある程度の売上見込みも立てやすくなります。

例えば、ＲＩＺＡＰが作った「ｃｈｏｃｏＺＡＰ」。スキマ時間にちょっとトレーニングがしたいという顧客のニーズに応え、コンビニジムをコンセプトに２０２２年７月にブランドを展開。爆発的に会員数を伸ばし、２０２３年11月には１００万人を達成しました。

反対に**自分の技術や知識を基準として商品を設計すること**をプロダクトアウトと呼びます。純粋に自分が開発したい商品や、顧客に届けたいサービスを優先して開発します。

プロダクトアウトの成功事例としては、ウォークマンやiPhoneなど、これまで世の中には存在しなかった商品を独自に開発し、市場を開拓したものが挙げられます。しかしこれらは稀有な成功例です。プロダクトアウト発想で開発し、失敗していった商品は数多くあります。

マーケットインは顧客中心発想、プロダクトアウトは自分中心発想。2つの考え方は、まったく正反対の立ち位置です。

大きな企業では、マーケティングにかける資金も独自の技術力もあるので、プロダクトアウトの手法で潜在的なニーズを掘り起こし、成功することもあります。

しかし個人のコンテンツビジネスでは、プロダクトアウトの発想だとほぼ確実に稼げません。どんな商品でも大切なのは、顧客が本当に欲しい、自分の課題が解決できる商品だと思い、選ばれるということです。

「欲しくないものは買わない」というのは、当たり前の話です。自分が顧客の立場になったとしてもそうでしょう。

ところが、コンテンツビジネスで商品を提供する立場になった途端、顧客発想の考え方ができなくなって、自分のスキルを活かしたプロダクトアウト発想で商品開発をする人が多いのです。

まるおコンテンツビジネススクールの受講生も、プロダクトアウトの発想に陥りがちです。私が何度説明しても、自分のやりたいことや自分が得意とすることで商品設計してしまう受講生もいます。

プロダクトアウトは、コンテンツビジネス初心者だけでなく、大企業でもスタートアップでも陥りがちなことです。

かつて日本が技術力を誇っていた時代は、プロダクトアウト発想で商品開発を行っていても、商品は売れていました。自社の強みを元に商品を開発するため、革新的な商品を生み出す可能性も秘めています。市場も購買力があり、消費ニーズの豊かな時代でした。

しかし時代は変わりました。**情報を手軽に入手できる時代は、顧客の目を肥えさせ、本当に自分の欲しいものしか買わなくなっているのです。**

ところがこの市場の激変を理解せず、いまだにプロダクトアウト発想から抜け出せていない企業もたくさんあります。

顧客ファーストの時代の今、企業でもない個人のコンテンツビジネスの世界では、いくらプロダクト発想の商品を開発しても売れないのです。

重要なのは**マーケットイン発想**。

何より、顧客課題を真っ先に考えるため、ＰＭＦを達成しやすいのです。

マーケットインが重要なことだと頭で理解していても、進めていくうちにいつの間にかプロダクトアウト発想に陥ることもあります。商品設計を行っている間は、何度でも立ち止まり、どちらの考えに立っている商品なのかという点を振り返ってください。

― PMFできない人がやりがちな失敗 ―

PMFを達成できない人にはパターンがあります。陥りがちな失敗を項目でまとめたので、商品設計を行う時に自分がこんな状況になっていないか、振り返る時の参考にしてください。

①顧客ニーズを考えない

P.55の図で示したように、スタートアップの撤退理由のトップ2に「マーケットにニーズがなかった」がランクインしています。スタートアップ企業が独自のアイデアで商品をリリースした後、あっという間に撤退してしまったというニュースをよく耳にしますが、そもそも**顧客ニーズをよく検証せず、思い込みで商品をリリースするのは、ビジネスとして言語道断**です。

買ってくれる顧客がいなければ、その商品はただの自己満足です。個人のビジネスは企業よりも発信力が弱く、資金も貧弱です。市場が存在しなかったということは、明日の食事もままならない状況に一直線です。

何度も言いますが、顧客ニーズの無い商品は売れません。商品設計は、市場調査と顧客ニーズの検証という試行を重ねて、PMFを達成すべきなのです。

②完璧さにこだわる

あなたは誰かに提出するものは完璧にしなければいけないと思っていませんか？

実際、頭では意識していなかったとしても、無意識に陥っている人もよく見かけます。

このような人は、動画1本、セールスレター1通を作成するにしても、時間をかけて完璧を求めます。こだわりがあることは悪いことではありませんが、完璧さにとらわれていてはいつまでたっても検証ができません。

最初に思いついたアイデアや作った商品は、顧客からのヒアリングやリアクションを通して大きく変わることがよくあります。最初に完璧な計画を練ってその通りに進めようとするのは、時間の無駄なのです。

新規のビジネスでは商品を出して、**顧客や市場の反応を見ないとわからないことがたくさんあります**。高速でPDCA（※）を回し、PMFを目指すことは必須です。完璧を求めてPDCAを回すのに時間がかかると、成功にたどり着くまでにさらに時間がかかるでしょう。

事業に100点はありませんし、1回で100点を求める必要はありません。点数を上げていき、**高い点数をキープし続けること、そしてどれだけ100点に近づけていくかが重要**なのです。

※PDCAとは、Plan（計画）、Do（実行）、Check（評価）、Action（改善）の4つのプロセスを繰り返して、業務プロセスを改善するフレームワークのこと。

③最初のアイデアに固執する

最初に考えた商品は、顧客の反応に合わせて臨機応変に変えていかなければなりません。商品を買うのは顧客だからです。最初に思いついたアイデアに固執し過ぎていると、②完璧さにこだわると同様の結果に陥るでしょう。

コンテンツビジネスをスタートしたら、**商品設計は常に覆されるのだという前提で取り組んでください**。

「自分はこのコンセプトでやっていきたい」「最初の商品がよかった」と自分の考えに固執する人がどうしても多いようです。最初のアイデアへの固執や執着を捨てて、柔軟な発想でビジネスに取り組みましょう。

④必要のないことに時間を費やす

②完璧さにこだわると関連しますが、完璧なものを出さなければいけないという概念にとらわれて、重要ではないことに必要以上の時間をかけてしまう人が非常に多いです。例えば、パワーポイント資料の作成やデザイン制作はその代表です。

もちろん、デザインのクオリティを上げるのは悪いことではありません。しかし、そのデザインのクオリティはＰＭＦを達成するためにどのくらい重要ですか？

「今やることなのか？」「どれくらい手間をかけるべきなのか？」は冷静に判断して欲しいと思います。

ＰＭＦ達成のために必要の無いことに時間を費やしていては、本末転倒です。人脈作りなども、本来達成すべき目的の周辺事項に過ぎません。

「ビジネスをやっている感」に安心してはいけません。些末なことに時間を費やし、市場調査や顧客インタビューなどの回数が減り、ＰＭＦを達成できないまま事業をたたまなければならなくなってしまいます。

「今自分がやっていることは、本当に今必要なことなのか？」と、自分に問いかけながら、優先順位を考えてください。

⑤虚栄の指標に惑わされる

虚栄の指標（ヴァニティメトリクス）とは**見栄え良く、うまくいっているように見えるけれど、本質的には役に立たない尺度や指標**のことです。

個人のコンテンツビジネスでよくあるのは、「月１０００万円稼ぐ！」という根拠のない目標を立てることです。根拠の無い数字は目標ではなく虚栄であり、妄想に過ぎません。根拠のない目標を達成しようとして考えに固執するのはよくある失敗です。市場調査にもとづいた現実的な指標をまずしっかりと立てて、一つずつクリアしていくのが地に足の着いたビジネスです。

例えば、プロデビュー前でファンも少ないアマチュアバンドが、いきなり「武道館に立つ!」という目標を大々的に宣言しても、よっぽどのファンでない限り「無理だろ」と思いますよね。これと同じです。

もちろん、最終的な目標は「武道館に立つ」でいいのですが、それまでのプロセスが無計画であれば、絶対に叶わないのは想像できると思います。彼らの場合であれば、まずインディーズレーベルと契約してアルバムを発表し、100人規模の集客ライブを行う…というように、着実にクリアできる短期目標を立ててこなしていくことで、「武道館に立つ」という最終的な目標につながるのです。

他にも、コンテンツビジネスではSNSでのコメント数やいいね数、フォロワー数に目が惑わされがちですが、**PMFに必要な本当の指標は、顧客からの受注数や問い合わせ数です**。虚栄の指標に惑わされていないか、PMF達成というゴールのためにやるべきなのか、常に逆算の思考でゴールまでのタスクを考えるようにしましょう。

⑥市場規模を考えない

PMFを達成するには、**正しい市場に的確な商品を届けているか**ということを常に考えます。企業の新規ビジネスでも、ニッチ過ぎる小さな規模の市場に商品を投入して、十分な収益を立てることができなかったという失敗もあります。

個人の場合は**自分が稼ぎたい金額に対して十分な収益が見込める市場なのか、対象顧客はどの程度見込めるのか、そして競合はどれくらい存在するのかを徹底的に事前調査**する必要があります。事前の市場規模の調査・戦略構築なしに飛び込んでしまうことだけは避けましょう。

⑦計画なしで進める

「このアイデアは画期的で儲かりそう」という勘だけで商品を開発して、**検証や計画なしに闇雲に市場に参入するパターンは、ほぼ確実に失敗します**。企業の新規事業でも、戦略や計画なしに市場に参入すると失敗するのですから、個人ビジネスで失敗してしまうのは当たり前の話です。

初心者の人は「競合の少ない独自の市場を開拓する！」と考えがちですが、今儲かっている市場に参入し、シェアの一部を取っていく方が簡単です。特に規模の小さい個人ビジネスでは、自分で市場を作るのは非常に難易度が高いため、すでに成功している市場で、競合優位性を築きながら商品を販売していく方がうまくいきやすいのです。

その市場での計画や戦略を描いてから参入するのが、新規事業の基本です。どんなビジネスでも、計画なしで市場に参入するということはあり得ません。

⑧競合を意識し過ぎる

市場調査をした結果、競合とまったく同じ商品を出してしまい、失敗する人もいます。周りの競合を意識し過ぎて真似てしまい、自分本来の商品の良さを打ち出した差別化ができなくなってしまうのです。

同じ市場で競い合うにしても、自分にしか無い「売り（競合優位性）」を見つけて差別化することは必須です。

競合優位性の作り方は、第4章ステップ3で改めて解説していきます。

PMFを達成するための4ステップ

ここからは、皆さんが成功するためにも、成功しているスタートアップ企業がPMFを達成するために踏んでいる4ステップをご紹介します。

個人のコンテンツビジネスの場合、この4つのステップ通りというわけにはいかないのですが、まずはこの4ステップを知り、世の中の成功している新規事業がどれだけ考え、検証して作られているかを理解しておきましょう。

─ステップ1─ CPF（Consumer Problem Fit）顧客に課題は存在するか

成功しているスタートアップ企業は、商品設計の時に顧客の課題（ニーズ）を想定して企画をします。

――果たしてその課題は本当に顧客が抱えているものか。
――顧客にとってどのくらい重要な課題なのか。
――課題が存在するならば、すでに競合が実現していないか。
――もし競合が解決できていない課題があるとすれば、それは何か。

この4つの視点から深堀りし、**自分で設定した顧客の課題の存在検証と、課題が明確化されている状態**にするのです。

繰り返し何度もお伝えしていますが、顧客のニーズでは無く、自分のやりたいことで商品設計を考えてしまうプロダクトアウト発想な人が非常に多いです。その人達は、CPFの過程を疎かにしてしまっています。

顧客は、今すぐ自分の課題が解決できる商品を求めています。マーケティング用語で言えば「バーニングニーズ＝早急に解決したい課題」を見つけることがの成功の第一歩です。

最初は小さな市場から始めてもかまいません。そこに特定のニーズがあって顧客が存在することがわかっていれば、その特定層の課題を解決してフィットさせることから始めて、次第に大きなニーズに成長させることもできます。

例えばメルカリも、最初はスマホの普及に着眼して、スマホを通じた個人間取引きサービスというニッチな市場からスタートしています。不要なもの・欲しいものを、スマホで手軽に個人間取引したいという顧客の課題の存在に気付けたからこそ、大きな市場にまで成長したのです。

ステップ2 ―― PSF（Problem Solution Fit）課題の解決策は何か

ステップ1で顧客が解決したい問題が検証できたら、**自分が提供できる商品（ソリューション）が、本当に顧客の課題を解決できるか**を検証するパートです。ステップ1で特定した顧客の課題をもとに、ソリューションを考え、顧客にアンケートを取って実際に課題解決ができたかどうかを確認します。

アイデアレベルの解決策を提示して検証するソリューションプロブレムインタビューと、簡易的なプロトタイプを作って検証するプロトタイプインタビューの2段階を踏む場合もあります。

このインタビューで商品が課題を解決できていない場合は、解決策を再検討し、課題にフィットさせてＰＳＦを達成します。

ステップ3 ＳＰＦ（Solution Product Fit）何が実装できるか

ＳＰＦは、**解決策をプロダクトとして実現可能かどうかの実装検証**です。価格面でも妥当かを検証します。

例えば、ノマドワーカー的な働き方が定着している現代で、仮想モニターを搭載した腕時計型のＰＣをアイデアとして考えたとします。皆さん、これが実現できれば爆発的に売れそうだと思いませんか？

でも、今のところそれほどのガジェットは登場していません。（技術的には近いところまで来ているようですが。）

このように、とても良いビジネスアイデアだとしても、今の技術ではそれが実現できない、万が一できたとしても価格が高すぎれば売れないという場合も往々にしてあるわけです。

─ステップ4─　PMF（Product Market Fit）市場に受け入れられているか

ステップ3でSPFを達成していることが確認できたら、**商品が市場で受け入れられているかを、実際にセールスして検証**します。実際に販売を行い、受注の可能性や商品を利用した顧客の満足度を検証するのです。

問題があれば、ステップ1に立ち戻って、改善ポイントを探っていきます。

ステップ1〜4の検証を繰り返すことで、最初は見えていなかった問題が見えてくることがあります。それらを一つずつ改善することで、商品が次第に市場のニーズに適合していきます。

この検証がうまくいき、PMFが達成できれば事業がスケール（拡大）する可能性は高くなります。企業からしたら、新規事業がうまくいくことは会社の成長に大きな影響を与えますから、旨いものです。

個人のコンテンツビジネスでも、PMFが達成できれば事業がスケールしてい

図4　PMF達成のための4ステップ

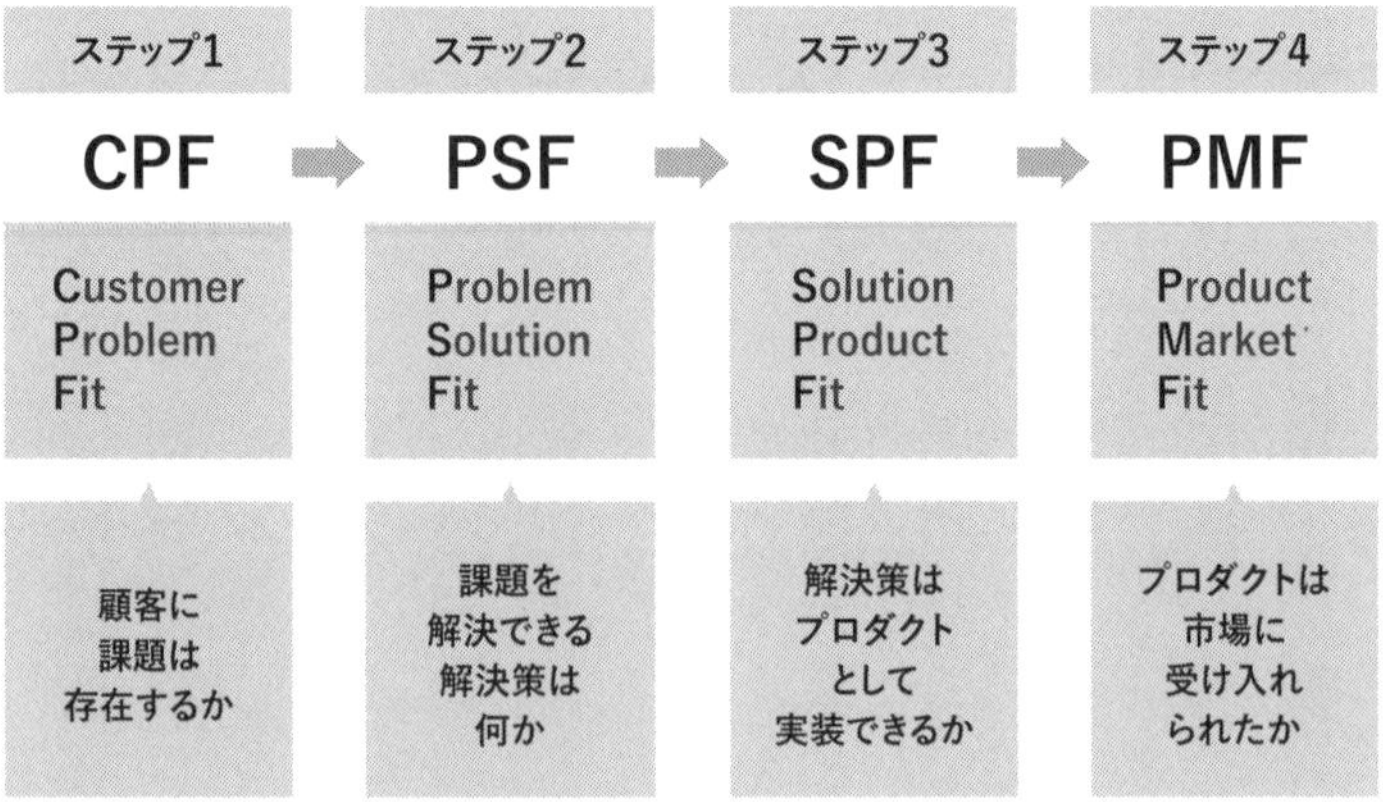

く可能性は十分にあります。まずは、この4ステップでどれだけ検証作業が大切なことかを理解しておきましょう。

── 大切なのは、顧客目線で課題の検証を考えること ──

スタートアップ企業でも、**ＰＭＦを達成した企業のほとんどは、プロジェクトの初期段階で「顧客課題の発見と検証」を集中して行っています。**

反対に、失敗したスタートアップは、「商品（プロダクト）の検証」の方に時間を割いてしまっている場合が多いのです。課題の検証が不十分のまま商品開発の方に注力すると、自分たち最高の技術の詰まった素晴らしいものができたとしても、ほとんど売れない、つまり事業としては失敗に終わる可能性が高いです。

「顧客課題の発見と検証」は、新規事業の成功と失敗を分けるほど重要です。

しかし、人間は確証バイアスを持っています。

確証バイアスとは心理学用語で自分の思い込みや先入観を肯定するために、**自分に都合のよい情報ばかりを集めて、そうでない情報は軽視してしまう**ことです。

つまり自分があると思った課題は、他人も持っていると勘違いしてしまう可能性があるのです。ですから、自分が「顧客の課題」であるとした仮説が本当に正しい課題なのかを、何度も、様々な視点から繰り返し検証することが重要なのです。

「確証バイアス」は、どんな人でも陥りがちです。特に自分の考えたものが自分のやりたい理想だったりすると、「確証バイアス」が強く働く傾向にあります。

ビジネスに自信は必要ですが、過信は禁物。「自分が立てた顧客の課題」仮説は間違っていないか、多方面の情報を収集して、仮説を疑ってかかる自己批判力も必要です。そのためにも、ステップ1～4の検証のプロセスが必要不可欠なのです。

第4章

PMFを達成する商品設計

商品設計の全体像

ここまで読んで、コンテンツビジネスにおける新規事業発想がいかに重要かをご理解いただけたでしょうか。

ここからは実践編として、実際に読者の皆さんがコンテンツビジネスを始める時にPMFした商品設計ができるよう、具体的な手順に沿って解説していきます。

第3章で説明したPMFを達成するための4ステップを、個人のコンテンツビジネスにおける具体の作業に落とし込むと、次のようになります。

―ステップ1― ビジネスアイデアの種を探す自己分析

……自己分析をもとに、自分のスキルを棚卸するステップです。

ステップ2 ― 商品設計のための市場調査

……ステップ1で見つけた自分のスキルにニーズ（市場）があるかどうかを確認するステップです。さらに、競合の商品や戦略も調査します。

ステップ3 ― 自己分析×市場調査で商品を設計していく

……ステップ1で見つけた自分のスキルと、ステップ2で調査した市場の状況をすり合わせて、バリュープロポジション（競合優位性のある商品コンセプト）を決定します。それにもとづいて、実際の商品の内容まで設計を行います。

ステップ4 ― 自分の商品が「顧客の課題を解決できるか」を検証する

……ステップ3で設計した商品が「顧客課題を解決できるか」を、モニターを集めて検証します。SNSを構築し、モニターを集め実際に商品を試してもらって、商品をブラッシュアップしていくステップです。

繰り返しになりますが、**重要なのは顧客ニーズを満たす商品を開発すること**です。一度1〜4のすべてを行った後に、モニターからのフィードバックをもとに2〜4の調査・検証を何度も繰り返すことで、PMFが達成されていくのです。

図5　商品設計の全体像

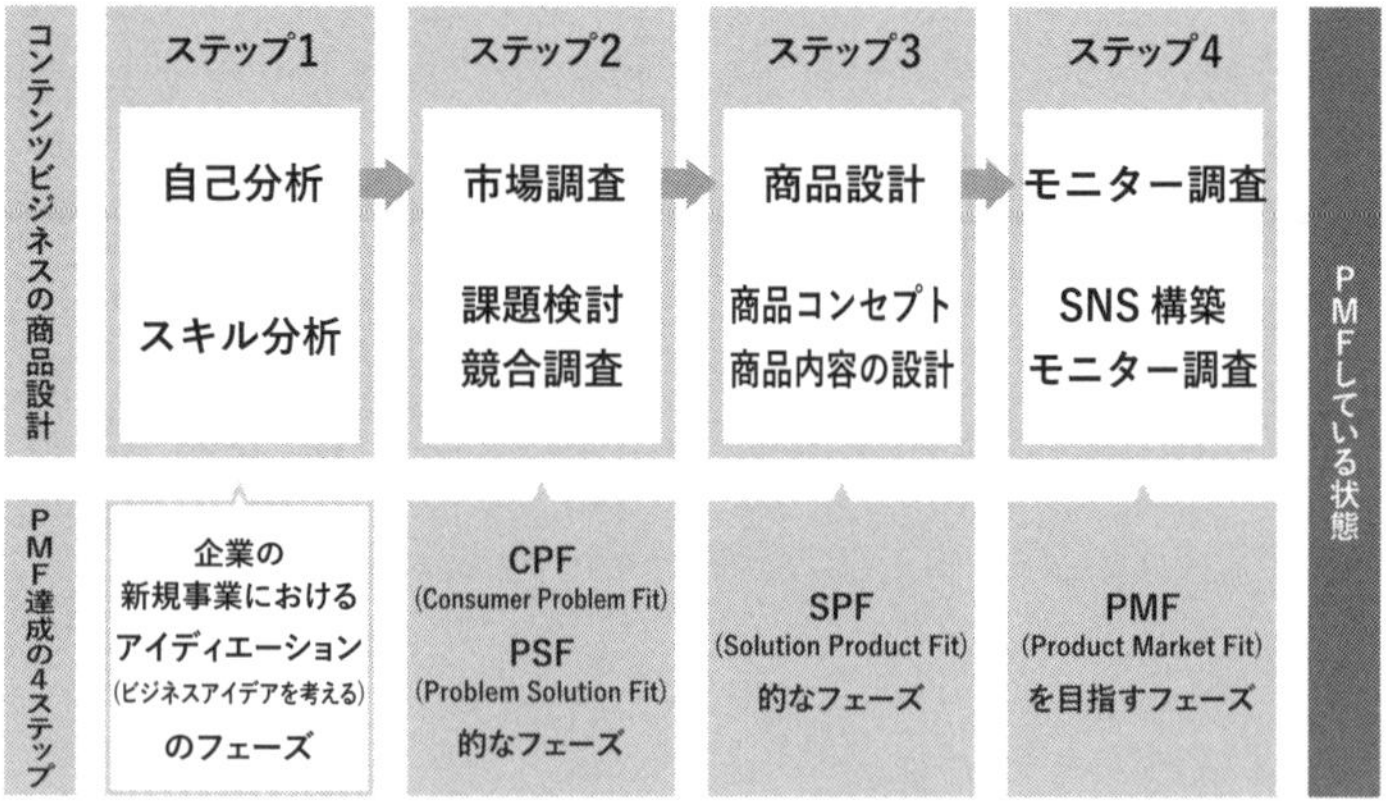

─ステップ1─ ビジネスアイデアの種を探す自己分析

自己分析で商品になりそうなスキルを見つける

第1章でもお伝えしましたが、コンテンツビジネスで商品となるのは、自分のスキルや経験です。

こう言うと「自分にはスキルなど何もない」と考えてしまう人が非常に多いので先にお伝えしておきますが、まったく心配しなくて大丈夫です。今まで多くの受講生にコンサルティングをしてきましたが、商品になりそうなスキルが一つも見つからなかった人は一人もいません。

よくあるのは「他人よりもいっそう秀でた技術や才能でないといけない」という思い込みです。**そんなことはありません。**もちろん、実績があることは必須ですが、実際に成果を上げた人の実績の規模は人それぞれ。

また、**自分ではまったく強みでないと思っている部分が、他の人からすると学びたいスキルである**ことも多いのです。

さらに、もう一つ。商品は、**自分の知識経験だけですべてを構成する必要はありません。**色々なところから情報を集めて、自分の考えを持って再構成し、よりわかりやすく伝える・より効果が出るようにするなど工夫してあげれば、それはあなたのオリジナル商品として成り立ちます。

だから、スキルがないと嘆く必要はまったくないのです。

さて、アイデア集めのためにまず行うのは、**徹底した自己分析**です。

あなたが提供できるすべてのスキルを洗い出して、自己分析シートに棚卸します。この自己分析シートは実際にまるおの講座でも活用しているものを掲載しています。

自己分析では、すべてのビジネスアイデアの種を出し尽くすことが重要です。ここでは、「こんなスキルがビジネスになる訳ない」「書き出すのが恥ずかしい」などというためらいは捨て去りましょう。

─ 自己分析のコツ ─

まず、自己分析シートに沿って次の項目を書き出していきます。

①経歴／職歴を10年分
②得意なこと、専門分野を10個
③権威性（実績、肩書き、資格など）を10個
④最後まで成し遂げたことを10個
⑤継続していること・ストレスなく続けられていることを10個
⑥自分が持つ珍しいエピソードを10個

あまり深く考えすぎずに、ファクトベースで書き出してみてください。

自己分析はビジネスアイデアの種になります。10個もないと思っても、まずはどんな些細なものでも絞り出すように書き出しましょう。10個以上ある場合は、それも書き出してください。

項目を書き出したら、**各項目で意識していることを言語化して、書き出した経験や技術をさらに深掘りしていきます。**

この中から、「スキルと呼べそうだな」と思うものをいくつかリストアップしてみてください。わかりやすいプログラミングや動画編集だけではなく、「言語化力」「継続力」などもスキルと呼ぶことができます。それがあなたのビジネスアイデアになります。

自分に対してストイックな人は、達成水準が高いので得意なことや権威性、成し遂げたこと、継続したことなどを考えるのが難しいかもしれません。そういう場合は、次のように考えてみましょう。

——自分の人生の中で、褒められた経験はないか？
——自分の人生の中で、無意識に継続していることはないか？
——日々の仕事や自分の中で比較的得意と思う、好んでやることはないか？
——一日のルーティーンは？

どんな些細なことでも構いません。相談相手にしたいとよく言われるとか、無意識に人間観察をしているとか、社内で申請する事務書類のミスが少ないとか、そんな内容で大丈夫。

思い当たるエピソードを書き出せたら、それぞれについて次のように深堀してみてください。

――なぜ、それを習得・経験しようとしたのか？（面白味を感じたポイントは？）
――その時、何を考えているか？
――印象に残ったエピソードは？
――自分が得られたものは何か？
――よりブラッシュアップするために調べたこと、学んだことはないか？

相談相手にしたいとよく言われる人は、おそらく傾聴力や共感力が高い人なのでしょう。人間観察は、交渉スキルにつながる可能性があります。

このように人生のエピソードの中には、**自分の持っている「スキル」のかけらがちりばめられている**ものです。

【こんなことも強みになる！スキル例】

・1ヶ月で5キロやせた＝ダイエット系スキル
・ストレッチを2年続けて開脚が180度できるようになった＝エクササイズ系スキル
・海外ゲームの10年以上のファン＝ゲーミングスキル
・英語ブログでランキング1位を達成した＝英語スキル
・ブログを1年間365日更新した＝ライティングスキル
・大学ゼミのプレゼンテーションで高評価を得た＝プレゼンテーションスキル
・営業成績1位を獲得した＝営業スキル
・取引先の担当者と、仕事を辞めた後も飲みに行くほど仲が良い＝信頼関係を作るコミュニケーションスキルバイトや趣味でやってきたことや、長く続けている習慣も立派な経験ですので、ぜひ書いてくださいね。

好きなことをやり続けた、やりたいことを成し遂げたなど、何かしらの実績があれば、それは一つの権威になります。自己分析してみれば、実は誰もが何か一つは実績を持っているはずです。

自己分析のコツは、3つです。

- **出てきたアイデアを批判・否定しないこと。**
- **他の人が持っていたら、面白い！と自分が思えるアイデアを出すこと。**
- **質よりも量を意識し、たくさんのアイデアを出すこと。**

これは、ブレインストーミングのコツと共通する部分があります。自己分析は、一人ブレストのようなものです。

第2章で経営者マインドのお話をしましたが、彼らは常に考え続けています。自分のことは比較的考えやすいテーマだと思いますので、ここの**自己分析で練習がてら、頭を振り絞って考えましょう。**

どうしても洗い出しが難しいと思う人は、**友達や家族など、あなたをよく知っている第三者の存在を活用**しましょう。第三者は、学校の教師、バイト先の店長、大学ゼミの先輩・後輩でも構いません。

第三者に、自分の印象に残っているエピソード、自分が得意そうなもの、楽しそうにやっていたことなど、相手から見た自分のスキルを聞いてみると思いがけないものが出てくることもあります。

他にも、昔の写真を見返す、履歴書や卒業アルバムを見返すなどして、自分自身で過去を遡るのも、スキルを振り返るのに役立ちます。

図6　自己分析シート(例)

経歴・職歴	
2014	高校3年　大学受験
2015	大学入学　経済学部
2016	大学2年　ギターを始める
2017	大学3年　バスケサークルの会長に
2018	大学4年　就職活動
2019	WEB広告系企業に就職
2020	仕事が辛すぎて辞めることばかり考えていた
2021	上司のパワハラで悩みすぎて休職
2022	復帰するも半年で退職
2023	転職活動中

最後まで成し遂げたこと	
1	バスケ
2	2年間のWEB広告プロモーション運用
3	2年間毎月報告書作成
4	企業キュレーションサイトで週4回記事制作
5	バスケサークルの会長
6	コーヒーインストラクターの資格取得
7	2ヶ月毎日10キロランニング
8	
9	
10	

得意なこと・専門分野	
1	バスケ
2	WEB広告の運用
3	SEO対策
4	WEBライティング
5	歌
6	パワハラを笑ってごまかす
7	Excelでのデータ管理
8	体力
9	コーヒー
10	TikTok

継続していること・ストレスなく続けられること	
1	文章を書くこと
2	ランニング
3	データ整理
4	友達と飲みに行く
5	身体ケア
6	炊飯器飯
7	ネットサーフィン
8	
9	
10	

権威性(実績・肩書)	
1	WEB記事トータル200万PV達成
2	サイト検索1位を100回達成
3	フリースロー成功率9割
4	50人のサークルをまとめるリーダーシップ
5	コーヒーインストラクター2級
6	シャトルラン136回達成
7	バスケ審判ライセンスあり
8	TikTokフォロワー5万人
9	ランニングだけで体脂肪率8%
10	

自分が持つ珍しいエピソード	
1	卒業記念にフルマラソン
2	上司から水をかけられたことがある
3	学生時代にバスケ審判の資格を取った
4	自炊の炊飯器飯がTikTokでバズった
5	学生時代、試合でフリースローをはずさなかった
6	外国人とシェアハウス
7	炊飯器に貼っていたシールで友達にTikTokがばれた
8	コーヒーが好きすぎてブラジルの農園に行った
9	
10	

ビジネスアイデアになるスキルを選ぶ

さて、自分の持っているスキルを細かく書きだすことができたら、ビジネスとして成立しそうなスキルに絞る作業です。

もちろん最終的にはステップ2の市場調査を経て、一番ニーズが高そうなものを商品としていくわけですが、広げた風呂敷のすべてを調査するとなると大変ですから、今のうちにある程度絞っていきましょう。

絞るポイントは2つあります。

①スキルに数字的な実績が伴うかどうか？

人は心理として**権威性のある人に惹かれます**。商品を購入するとなれば、失敗したくないのでできるだけ信頼がおけそうな人から買いたいと思うのは自然でしょう。

その**信頼の担保となるのが、実績の数字**です。ですから、あなたのスキルの中で商品にするのは数字的な実績が伴っているものがおすすめです。

「大手上場企業の営業でNo．1を取った営業術」などはわかりやすいですよね。

私の場合であれば「3週間で売上3500万円を達成した」というのを売り文句にしています。

「結局ハードル高いじゃん」と思った方もいるかもしれませんが、「半年かけて無理なく3キロ痩せる」、「1週間で瞬間風速的に3キロ痩せる」という風に、**期間や欲求を組み合わせた形でもOK**。「3キロ痩せる」という数字的な事実は変わりません。

どれが商品として価値があるのか、何と何を組み合わせたら、新たな価値のある商品になるのか、自分を効果的にプロデュースするためにはどうすべきか、第三者的な観点も踏まえて考えてみましょう。

②不の解消ができるスキルであるかどうか？

「不の解消」というビジネス用語を聞いたことはあるでしょうか。これは、**世の中にある不満、不便、不快、不都合などの「不＝困りごと」を見つけ出し、その「不」を解消する商品を考える**ことを指します。

「不の解消」から生まれたビジネスには次のような事例があります。

【例】頭痛薬＝不快の解消

今の私たちの生活にはあって当たり前ですが、痛みを取る工夫が難しかった時代に、頭の痛みという不快を解消する商品として登場しました。結果、現代まで残るプロダクトになっています。

【例】社内ＤＸ化ツール＝不便の解消

ＤＸツールの登場前は、売上管理だけでも、個人がエクセルファイルにまとめたものを、部長が一つのファイルに打ち込みなおす…なんてこともあったでしょう。そんな不便を解決するＤＸツールは、大人気商品です。

【例】コンプレックス商品＝不満の解消

人には言えない自分の不満・悩みは、大きな市場を持っています。ダイエットはその代表です。

このように、**「不を解消するビジネス」は大きな市場を持つ**ことが多いです。同じようなニーズを抱えている顧客が非常に多いのです。これは大企業に限らず、個人のコンテンツビジネスでも、同じです。顧客の「不」を常に考えて、その「不」を解決できるコンテンツを提供できれば、大きな売上につながります。

あなたのスキルの中で、顧客の不満、不安、不快、不便を解決できる可能性があるものがあれば、そのスキルを商品にしていくのが良いでしょう。

もし日頃あなたが「不」を感じる瞬間があれば、それはビジネスチャンス。自分のスキルが少しでも「不」の解消につながらないかを考えてみましょう。

そのシグナルを見逃さないためにも常にアンテナを張っておくことが重要です。

――顧客は、どんな不満を抱えているか？
――顧客は、どんな不安を抱えて生活しているか？
――顧客は、どんな不快な思いをしているか？
――どんな不便を感じているか？

ここまで多角的に自己分析を行って、スキルの洗い出しができたなら、ステップ2の市場と競合調査に進みます。

── ステップ2 ── 商品設計のための市場調査

ユーザーの動向を理解せよ ── マーケティング基礎理論 ──

市場調査の前に、マーケティングの基礎として**イノベーター理論**を知っておきましょう。イノベーター理論とは、1962年にアメリカのスタンフォード大学のエベレット・M・ロジャーズ教授が提唱した理論で、新しい製品やサービスが市場にどのように普及していくかを表しており、どのように顧客が増えていくかの全体感をつかむことができます。

商品やサービスの普及の過程を図式化したものを**イノベーションカーブ**と呼び、横軸は商品が普及するまでの時間、縦軸はユーザー数を表しています。横軸は**ユーザーの特性別に5段階**に分かれており、その特性はそれぞれ次のように呼ばれています。

・イノベーター

……情報感度が高く、新技術や新製品などを手に取ることに積極的。コストが高かったり流行の兆しが見えなくても、自分が良いと思えば商品を購入してくれる。

・アーリーアダプター

……イノベーターの次に情報感度が高く「これから流行りそうなもの」を積極的に取り入れる層。オピニオンリーダーやインフルエンサーとなり、広い層に商品を知らしめてくれる役割になることも多い。

・アーリーマジョリティ

……情報感度は高いものの、実際に購入するかどうかには慎重な層。アーリーアダプターの意見を参考に、購入するかどうかを判断することも多い。

・レイトマジョリティ

……多くのユーザーがその商品を購入していることで、良いものだと確証が得られてから購入する層。

・ラガード

……商品が普及しきってほとんどの人が持っているのが当たり前になってからやっと購入する層。

図7　従来のイノベーションカーブ

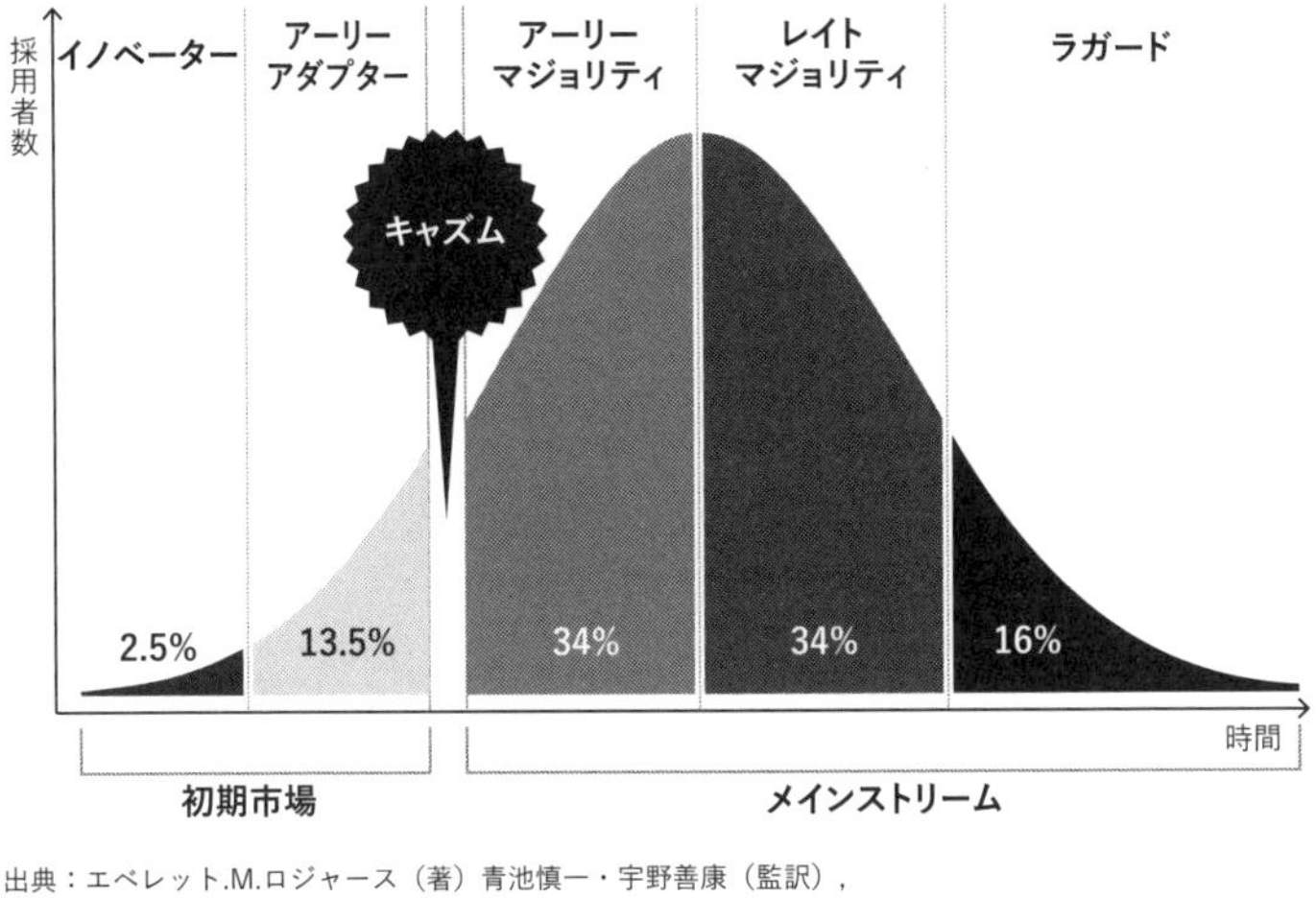

出典：エベレット.M.ロジャース（著）青池慎一・宇野善康（監訳），
1990『イノベーション普及学』産能大学出版部

アーリーアダプターとアーリーマジョリティの間に存在するキャズムと呼ばれる障壁を乗り越えることができれば、広く商品を普及した状態と言われています。

―変化するユーザー動向―

前項で述べたイノベーションカーブは従来、釣り鐘（ベル）型を描いていいました。順番にユーザーが増えていく動きのため、都度、売り手は市場検証を行って商品やサービスをブラッシュアップしていくことができました。

しかしインターネットの台頭により、**ユーザーの消費行動が大きく変化**しています。こうした初動の低いイノベーションカーブはもはや古いと言えるでしょう。

新商品やサービスが出たらすぐとりあえず使ってみたいという、**新しいもの好きのユーザーが増えているのです。**

そして、彼らが使ってみてよかったという評判がSNSで一気に拡散すると、**爆発的に広がって市場を席巻します。**

スマホの浸透もユーザー動向の変化に一役買っています。SNSの情報を見て、欲しいと思ったらすぐ買うことができる導線が構築されているのです。

新しいもの好きのユーザーは、お試し期間や開発中の段階でも試したいという積極的な意思があり、**商品体験後の声も届けてくれる可能性がある大切な顧客**です。

個人を相手にしたコンテンツビジネスには、現在の状況は、千載一遇のビジネスチャンスなのです。

── コンテンツビジネスに重要なロイヤリティループ ──

顧客が商品の熱狂的なファンになっていく過程のことを示す、**ロイヤリティループ**という考え方があります。

個人のコンテンツビジネスでは、ロイヤリティ、いわゆる**ファンが非常に重要な存在**です。第1章でもお話しした通り、熱狂的なファンが一番に自分の商品を購入してくれ、さらに宣伝をしてくれる存在になるからです。

ですから、このロイヤリティを作る、ロイヤルティーループの流れも理解しておきましょう。

従来、ユーザーは商品を認知してから、
Attention（注意）
↓Interest（関心）
↓Desire（欲求）
↓Memory（記憶）
↓Action（行動）
というAIDMA（アイドマ）モデルに沿って商品を購入、気に入ればリピートするといった流れでファンになっていきました。

しかしすべてが急速に変化する時代、特に、コンテンツビジネスにおいては、この通りにユーザーがファンになる訳ではありません。

今は新しい商品との接点が次々と訪れるため、

ユーザーはとりあえず使ってみる
↓良かったら続けて使う（SNSでメリットをシェアして広める）
↓悪かったらすぐやめる（SNSでデメリットをシェアして広める）
というように、消費行動の判断があっという間に行われています。

ですから、**ユーザーに評価される商品を作ることが最も重要**なのです。そのための市場調査です。そしてその商品を、SNSを使って広め、着実にファンを獲得していきましょう。

今のロイヤリティループは、個人のコンテンツビジネスに非常にフィットしています。これもコンテンツビジネスを今始めるべき理由の一つでもあります。

── 最低限の社会トレンドを押さえる ──

企業の新規事業では、将来的な世界情勢や外的環境の状況を読み、市場調査を調査するのは当たり前のことです。

個人のコンテンツビジネスであっても、自分を取り巻く外部環境を把握して、どのような影響を与える可能性があるのかを予測しておくといいでしょう。

外部環境を把握するフレームワークに、**PEST分析**があります。

PEST分析では、左記の4つの外部環境を多角的に分析していきます。

①Politics（政治）――ビジネス関連の法律や政治動向
②Economy（経済）――経済水準、所得の変化、金利
③Society（社会）――人口動態の変化、価値観、流行の推移
④Technology（技術）――技術革新の動向、新技術の開発

4つのマクロ環境の情報を収集して分析を行い、自分のビジネスにどのような影響を与えるのか、ビジネスチャンスの可能性があるのかも常に考えましょう。

コンテンツビジネスを考えるうえでのPEST分析のための情報収集は、新聞、ニュース、専門分野のプレスリリースなどの一般的なリソースで問題ありません。新規事業でも、個人のコンテンツビジネスでも、その市場に対する知見や情報がなければ、競合にあっという間に淘汰されてしまいます。経営者マインドを持って、多角的な情報アンテナを常に張るようにしておきましょう。

「本当に課題が存在するか」をリフレインする

市場調査を始める前に、もう一度、あなたのスキルで**ユーザーが解決したい課題があるかを検討する**時間を設けましょう。

市場調査で明らかになるのは、どれくらいニーズがあるか（市場規模）と、自分が稼げるチャンスはどこか（競合優位性）です。そもそも、**解決してほしい課題をユーザーが持ってなければ、ニーズが存在することはあり得ません**。

陥りがちなのは、自分の持っているスキルありきで考え、課題の存在を置き去りにしてしまうパターンです。まさに、マーケットインとプロダクトアウトの考え方です。

顧客目線になっていない商品は、どんなにコストをかけて最先端の素晴らしいものを作っても、ＰＭＦを達成するのは難しいでしょう。

見直し方は簡単です。**あなたが顧客だったとして、その解決策（スキル）を買いたいと思うかどうかを客観視**すればいいのです。自分が買いたいと思わないものは、他人は買わないと思った方がいいでしょう。

この客観視には、もう一つ非常に重要な側面があります。それは、**顧客課題を自分事化**できることです。

課題が自分事化すると、理解深度も深くなり、解決するべきポイントの解像度が高くなります。さらに、自分も解決したい課題なので想いがこもり、より良い形にブラッシュアップできるよう、努力し続けることができるでしょう。

そして、人はその想いを感じ取ります。自分が誰かに相談したとして、ノウハウチックに解決しようとする人よりも、自分に寄り添って一緒に解決しようとしてくれる人に相談したいですよね。これだけで購買理由になったりするものです。

だから、**自分が買いたいと思えるかどうかは、非常に重要な指標**になるのです。

英語のことわざで「誰かの靴を履いてみる（To put yourself in someone's shoes）」という言葉があります。これは相手の立場になって考えるという意味です。

あなたが今考えている課題は、本当にユーザーの立場になって、相手の靴を履いて考えていることになっているか、じっくり考えてみてください。

たまに、ニッチすぎるニーズを狙ってしまい、自分はめちゃくちゃ欲しい！と思っても商品が売れない場合もあります。

このあたりのズレは、市場調査で解決していきましょう。市場の狙い方もこの後の項目で解説します。

コンテンツビジネスの市場調査

前置きが長くなりましたが、ここまでできてやっと市場調査に入ります。

市場調査の目的はステップ1で分析したあなたのスキルで、**ニーズがあるものを見分ける**こと、そして、競合の調査を行い、**どうしたら競合に勝てるか**を考え、ポジショニングなど具体的な商品設計に活かすことです。

─ 市場調査のやり方 ─

コンテンツビジネスの場合は、**自分でインターネットや本などからリサーチ**を行います。まるお式新規事業発想のコンテンツビジネスで市場調査に活用するのは主にSNSです。YouTube／Instagram／X（旧Twitter）の

3つのプラットフォームで調査をします。

調べるのは**あなたのスキルと近いコンテンツを提供している競合アカウント。自分の提供スキルと一番親和性が高そうなプラットフォーム**から調べていきます。例えば女性向け美容商品は、Ｉｎｓｔａｇｒａｍとの相性が良いでしょう。ただし、必ず後述の「競合リサーチで調べる項目」を洗い出して、実際に売り上げているアカウントがある媒体かどうかを判断しましょう。

調査する数は各プラットフォームごとに20アカウント程度。調べる項目は次のリストを参考にしてください。

【競合リサーチで調べる項目】

①アカウント名
②SNS種別（フォロワー数）
③実績、肩書き

④マネタイズ方法
⑤売上規模
⑥商品単価
⑦サービス内容（商品コンセプト）
⑧受講生の人数
⑨プレゼント企画の内容
⑩強み、ポジション

競合アカウントがまったく存在しない、もしくは、存在しても少数（しかも売上がほとんどない）ということがあれば、その市場は**ニーズのない商品として判断して問題ない**でしょう。

まったくのブルーオーシャンでチャンスがあるのでは?と思うかもしれませんが、チャンスのある市場であれば、すでにビジネス感覚の鋭い経営者たちが手を付けているものです。さらにニーズが潜在的なので、初心者がその潜在ニーズを顕在化させるような商品を作るのは非常にハードルが高いです。

個人のコンテンツビジネスの良さは、競合の多い市場で小さく始めてもきちんとやれば50〜300万円程度は稼ぎ出すことができる点でもあります。ですから、私としては無理をしてその市場に乗り込むメリットもないと考えています。

― 競合アカウントの探し方のコツ ―

SNSで競合アカウントを探すためには、**数万のフォロワーを抱える有名なインフルエンサーが、フォローしているアカウントを調べる**のが簡単です。

有名なインフルエンサーは、自分がフォローするアカウントを厳選しているため、フォロー数はかなり少ない、かつ業界の有力者である可能性が高いです。

もちろん、自分のスキルと近いジャンルのコンテンツを販売しているアカウントを探してください。ビジネスを行っているアカウントは、ほとんどが**権威性のあるコピーを名前に付けている**のでフォロー欄からでも見つけやすいと思います。

検索の時に、コマンドを活用するのもおすすめです。例として、Xの検索コマンドを例に挙げておきますが、調べればそれぞれのプラットフォームで活用できるコマンドが見つかるので、他に必要な物があれば調べて活用してください。

いいね数やリポスト数の多い投稿は、人気が高く売上のあるアカウントを探すことに役立ちます。

さらに、ユーザーに刺さる投稿ということですから、自分の商品設計やポスト制作の参考にもできます。ぜひ覚えておいてください。

【Xを検索するための主要コマンド】

・特定のユーザーの投稿から検索　from:ユーザーID
・特定のユーザー宛の投稿を検索　to:ユーザーID
・検索対象を自分がフォローしているアカウントに限定する　filter:follows
・指定した複数のワードすべてを含む投稿を検索する　aaa bbb
・指定したいずれかのワードを含むポストを検索する　aaa OR bbb
・いいね数が100以上の投稿を検索　@ユーザーID　min_faves:100

・リポスト数が100以上の投稿を検索　@ユーザー　min_retweets:100

他にも**WEB検索リスト**を利用する方法もあります。無料で使えるサイトもあり、特別なツールも不要なので、誰でもすぐにインフルエンサーを探せます。

どちらにせよSNSの情報は、自分で検索作業を重ねることで検索技術を上げていきましょう。

― 企業のリサーチは必須ではない ―

ときどき「企業のリサーチをした方がいいかどうか」と質問が来ることがあります。

結論、**企業リサーチに関しては、しなくてもOK**です。なぜなら、企業の狙うビジネス規模と、個人の狙うビジネス規模は根本から違うからです。

ただし、あなたが狙っている市場に企業アカウントが多くあるのであれば、企業は十分なリサーチをしたうえで、儲かるという確証を得たからこそ参入してきているはずです。ですから、個人にも十分ビジネスチャンスがあると判断する材料にはなります。

また、企業アカウントに関しては、**投稿やランディングページ、コピーライティング、販売導線、商品の内容**など、予算をかけてしっかりと作り込んでいるだけに**参考になる部分が多い**です。ですので、気になる企業や、目指す雰囲気と近い企業を見つけたら、見てみてもいいでしょう。

価格に関しても、目安になるはずです。企業が提供する商品は、そのカテゴリーの価格帯のベースになりやすいからです。個人でビジネスをしている人が、企業とはどれくらいの価格差をつけていて、サービス的にはどのくらいの差があるかを分析することも、商品設計の参考になるでしょう。

ターゲットとする市場の見極め方

競合調査を一通りやってみると、ステップ1でリストアップした自分のスキルのうち、どのスキルにニーズがありそうか見えてくるはずです。

もしかしたら複数のスキルでニーズが見込めそうな人もいるかもしれません。ニーズがありそうなスキルが複数あった場合は、ここで初めて**「やりたいこと」をベースに選んでみてもいいかもしれません**。まるお自身は、よりビジネスチャンスの多い市場を選ぶことをおすすめすることが多いですが、やりたいことは想いもこもりやすくなるので、その熱量が良い商品を作ることにつながる可能性もあります。一方で、いつの間にか「やりたいこと」ベースでの発想に陥りやすいですから、その点はより注意が必要になります。

ただし、**その市場全体の規模**を必ず確かめてください。

個人のコンテンツビジネスは、今数億円を売り上げている人でも市場のほんの0.

数パーセント、下手したら0.1パーセント以下のシェアを取っているだけにすぎません。**市場全体の大きさが小さいと、稼ぐことが難しい**可能性があります。

具体的に言うと、あなたが月額で売り上げたい額の100倍くらい稼いでいるアカウントが複数いれば、その市場に可能性はあるでしょう。

―大きな市場が見えたら、市場を細かく分解していく―

自分がビジネスにするスキルが定まったら、**その市場をさらに細分化**してさらなる競合調査に入ります。自分のスキルを、市場のどのポジションに置くのがいいか、判断する目安にしていくのです。

ダイエットだけでも、市場は以下のように細かく分かれています。

【競合例】ダイエットのテーマとターゲット

・女性を美しく痩せさせる

・男性をかっこよく痩せさせる
・運動しないで痩せる
・簡単ヨガで痩せる
・ウォーキングで痩せる
・食事指導で痩せる
・断食ダイエット

このように細かいジャンルでダイエットを仕分けすることで、より自分のスキルに合致した市場を探していきます。細かく洗い出していくうちに、最初に自分が想定していた市場ではなく、他の市場に需要を見つける場合もあるでしょう。

この細かく分類した市場で、さらに競合調査を行いましょう。調査の方法はここまでに同じようにSNSを使った方法で構いません。

できるだけたくさんのアカウントを調査し、傾向をまとめてみてください。共通する項目は、今後の商品設計のうえで考えるべき必須の要素になります。

リストアップした競合の中で、**一番売り上げているアカウントについては、商品を購入してみてもよい**でしょう。最も売れているコンテンツは、顧客が多く、商品コンセプトが顧客ニーズを満たしている、買って満足している商品です。PMFを達成するうえでの必要条件を満たしていることが多いので、参考になるでしょう。他にもセールストーク、販売導線、SNS活用方法などの視点からも参考になるはずです。

ペルソナを設定する

ペルソナとはマーケティング用語で、**商品やサービスを利用する最も重要で象徴的な顧客モデル**のことを指します。個人のコンテンツビジネスの場合は、自分の商品の一番のファンになってくれる人と言い換えてもいいかもしれません。

ペルソナ設定の目的は、**商品のブレを無くすこと**です。顧客は「自分の課題が絶対に解決できる」と思う商品しか買いません。しかし、市場には色々な消費者とニーズが混在しているため、そのすべてを拾おうとして商品がブレてしまうことがあります。

商品のブレは「自分には合わない商品だな」と思うきっかけになります。ですから、自分の商品を絶対に勝ってくれる人の像を明確にし、その人にとって絶対に必要な商品を作り上げていくのです。

ペルソナは次の項目を埋めて作成します。自分の商品に合わせて、より詳細に記入してください。**ペルソナ像が明快であるほど、課題にぶつかった時に立ち返りやすくなります。**

【ペルソナの設定項目】

①年齢
②性別
③家族構成

④職業
⑤所得
⑥学歴
⑦住所
⑧趣味
⑨興味・関心
⑩生活環境・ライフスタイル
⑪悩み・課題
⑫理想の未来は何か
⑬どんな情報を知りたいか

最後に、「一言でまとめるとどんな人か」を書いておくと、一本筋の通ったペルソナができ上がるはずです。

図8　ペルソナ設定の例

一言でまとめると	きれいに痩せたい30代〜40代女性

年齢	35歳
性別	女性
家族構成	上場企業勤務
職業	600万円
所得	既婚・子供あり(5歳)
学歴	青山学院大学卒業
住所	神奈川県川崎市
趣味	美容、Netflix
関心・興味	ダイエット、子育て、投資
生活環境・ライフスタイル	朝7時に起きて、9時出社。時短勤務で帰宅はだいたい17時半。24時就寝。
悩み・課題	産後体重が増えてから、なかなか体重が戻らない。一時ダイエットしたが、逆に老けて見えた。
理想の未来は何か	産前のメリハリがあった体型に戻りたい。ただ痩せるのではなく、健康的に痩せたい。
どんな情報を知りたいか	・ダイエット食品の話 ・綺麗に痩せる方法 ・痩せながら筋肉もしっかり残るダイエット法 ・スキマ時間にできるダイエット

詳細に考えることで商品がブレにくくなる

市場調査には時間をかけろ

市場調査は、**1ヶ月ほど時間をかけてじっくり行ってください**。ダラダラやるのではありません。何度も何度も、より良い市場がないかを繰り返し探っていき自分が狙うべき市場をクリアにするのです。

さらに、競合を調べるうちに、同じテーマでも売れているものと売れていないものがあることにも気付いてくるはずです。

ここから先は、いかに商品で競合に勝っていくか、が課題になります。だからこそ、**顧客にとって何が必要で何が必要ないか、競合は何を提供できていないかを明確にする市場調査は超重要**です。だから時間をかけて行います。

必要なものだけを揃え、課題を明快に解決していける商品が勝ちます。PMFを達成し、人生を変える金額を稼ぐために、市場調査は徹底して行ってください。

—ステップ3— 自己分析×市場調査で商品を設計していく

商品コンセプトを設計する

自己分析と市場調査で、あなたがこれから戦っていくビジネスを取り巻く外的環境が理解できたら、**スキルを実際の商品に落とす**作業に入っていきます。

商品の具体的な内容を考える前に、**商品のコンセプトの設計**が必要です。商品コンセプトはこの商品が「誰の」「どんなニーズを」「どのように解決するのか」を決める指針です。ブランドの方向性と言ってもいいでしょう。商品の第一印象になりますから、重要なポイントです。

商品コンセプトを設計するうえで考えたいのが、**バリュープロポジション**です。バリュープロポジションとは、**顧客が求める価値に対して、自分だけが提案できる価値**のことです。自分の商品の価値を高め、ユーザーに購入に至ってもらうための差別化になります。

バリュープロポジションは、

①顧客が望む価値
②自分が提供できる価値
③競合が提供できる価値

を重ねた時に①と②が重なり、③が重ならない部分を指します。

バリュープロポジションを考える時は、「①顧客が望む価値」を最優先で考える必要があります。

図9　バリュープロポジション

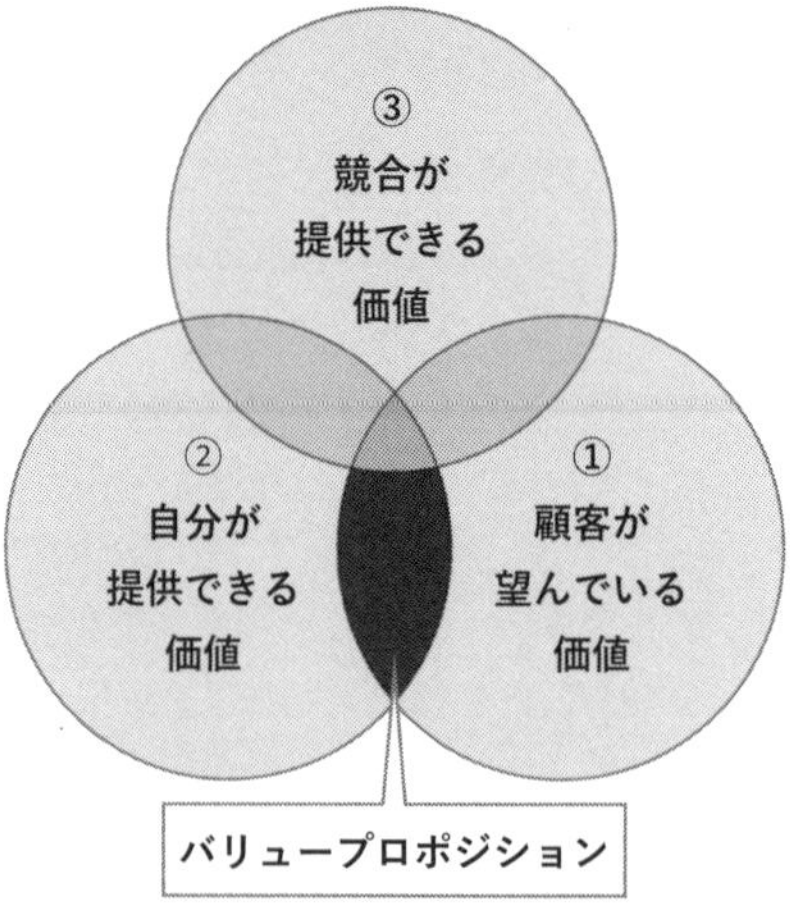

自分が提供できて競合が提供できない顧客が求める価値

「②自分が提供できる価値」を強く主張すると、顧客の望むものとはかけ離れていくことがほとんどです。

また、「③競合が提供できる価値」に惑わされすぎても、バランスのとれたバリュープロポジションとはなり得ません。

市場調査で見つけた競合の弱みは、そのまま自分へのニーズになります。そのニーズを満たす商品が提供できれば、バリュープロポジション（競合優位性）は確立されたも同然です。

私まるおも、このバリュープロポジションがしっかりと築けていたことが、圧倒的な売上をあげた要因の一つであったと考えています。

コンテンツビジネスの市場で、私よりも先にコンサルティングを商品化していた競合は、SNSを活用して商品の売上を伸ばす、いわゆる1→100の売り伸ばしのノウハウを強みにしていました。

ですので、私は新規事業部で学んだ新規ビジネスの立ち上げ知識を強みに、0→1を設計することを強みに商品を作ったのです。

市場の状況的にも、簡単に稼げるビジネスを立ち上げた人たちが、まったく売上をあげられない状況があったため、このビジネスの知識をベースにした、確実に稼げる成長戦略のノウハウがハマりました。

競合がもし0→1を強みにしていたとしたら、私はSNS事業部で培ったSNSを伸ばすノウハウを武器にしていたかもしれません。このように市場のニーズと競合の弱み、自分の強みをバランスよく合致させることで、その市場のシェアの多くを獲得できる可能性が高まるのです。

都合よく自分の強みと市場ニーズが合致しないと思うかもしれませんが、競合が一対多数でスキルを教えるスクール形式で商品を提供しているジャンルであれば、個別コンサルティングにするだけで「手厚くフォローしてほしい」というニーズを拾うことができます。

競合と同じ形式のスクールだとしても、より低い価格で売り出せば差別化にもなります。

価格を下げることに不安を覚える人もいるかもしれませんが、より多くの顧客を獲得することができればトータルの売上は競合と同じくらい、もしくはそれ以上になることもあるでしょう。こうして実績を積んでいけば、自分の権威性やブランド価値も上がっていくので、単価を引き上げても顧客が付くようになっていきます。

このように、**自分が競合よりも優れて提供できる価値はないか**を多角的な視点で考えてみましょう。市場調査でわかった競合の弱みを精査し、そこに対抗できる自分の強みがあなたのバリュープロポジションになっていきます。

― バリュープロポジションのチェックポイント ―

バリュープロポジションが重要だということが頭でわかっていても、ビジネス化するとうまく仕上がらない時は、たいてい**①②③のバランスが崩れている**ことが原因です。バリュープロポジションは3つがバランスよく重なる部分でしか成立しません。そうならないためのチェックポイントを3つ挙げますので、バリュープロポジションができたと思ったら、必ず確認してください。

ポイント①自分の想いだけが先走っていないか？

これまでにも繰り返し説明してきましたが、自分のビジネスをスタートさせる時に自分のやりたいことばかりに注目して、「①顧客が望んでいる価値」を置き去りにしてしまいがちになります。ビジネスへの想いが強ければ強いほど、陥りがちな失敗です。そこに顧客ニーズは存在するのか？改めて考えてみてください。

ポイント②既存のアセット（長所や有用性）にとらわれていないか？

これも「②自分が提供できる価値」にとらわれていることになりますが、自分の提供できる技術や成功ノウハウに固執しすぎて、顧客ニーズにフィットしないこともあります。例えば、ダイエット商品における極端な食事制限は、自分が痩せたとしても、他の人には厳しすぎて、やりたい気持ちを引き起こすことができないでしょう。

ポイント③自分の許容範囲を超えていないか？

「①顧客が望んでいる価値」を考えすぎて、様々なニーズのすべてに対応しようとすると、自分の許容範囲を超えてしまいます。顧客のニーズに応えることは大切ですが、どれくらいのニーズにならば応えられるか、自分のキャパシティを考えて対応しましょう。

チェックポイントの①と②は徹底した顧客調査を行うことで検討ができます。顧客インタビューやアンケート、調査などで徹底して顧客の求める価値を見出していきます。

③については、顧客が求める価値をさらに調査して、**ターゲットのMust Have（なくてはならないもの）とNice to have（あればよいもの）を切り分けて考え、優先順位を付けて対応をしましょう**。

バリュープロポジションは、顧客にとってのMust Have（なくてはならないもの）に応える価値を提供できているかどうかが最重要課題です。

商品の内容設計

― 初心者はコンサルティング型商品を設計しよう ―

具体的な商品設計に至るまで、ここまで時間がかかるものなのかと驚いた人も多いかもしれません。**新規事業では、ここまで市場や競合を丹念に調査して、ようやく商品内容の設計に入っていく**のです。

まるおが提供するコンテンツビジネスのメソッドは、簡単に始めてすぐに稼げる！と謳われたコンテンツビジネスの発想方法とは一線を画しているということがよく理解していただけると思います。

ここに来てようやく、商品の設計を始めます。

まず個人での商品設計は、「**自分が直接教えること**」を販売することを前提に考えましょう。言い換えれば、コンサルティングサービスで、顧客が望む未来を達成するためのサポートを売り出す形です。

コンサルティングの形式が初心者におすすめな理由は、次の2点です。

- **相手に成果を出させることができる確率が高く、自分の実績になりやすい**
- **丁寧に手取り足取り教えてほしいというニーズが高い**

人が何かを達成しようと思った時に邪魔になるのは「甘え」や「怠け心」です。みんながみんな、一人で黙々とやって達成できるのであれば個人コンサルは必要ありません。でも、わかっていてもできない人は多いのです。一から教えてほしい、自制のために管理していてほしい、アイデアを一緒に練り上げてほしい…など、どのジャンルでもニーズが多いのがコンサルティングサービスです。

かっこいい動画やきれいなデザインのスライド教材を作る必要はありません。**あなた自身のスキルや成功体験がまさに商品そのもの**です。顧客にはサポートを手厚くして、直接教えることを販売するのが成功への近道です。

―商品詳細の設計と5つのポイント―

「自分が直接教えること」を商品にするというのは、そのスキルを習得するためのカリキュラムを考えることです。

例えば、動画の編集スキルを商品にする場合、次のようなカリキュラムが組めるでしょう。

【例】

ステップ1 目標設定（自分がどのくらいのレベルの動画編集をできるようになるかを目標設定してもらう）

ステップ2 一般的に使われている動画編集ソフトの種類と特徴の説明、この講座で使用していく編集ソフトの機能説明

ステップ3 編集基礎知識、編集用語を知る、動画の取り込み方、データ管理の仕方

ステップ4 カット編集、テロップ挿入、SE挿入、簡単な動画を作ってみよう

ステップ5 アニメーションの作成の仕方、フォーマット登録の仕方、他ソフトとの連携

ステップ6 SNSで伸びる編集のコツ

＋個別案件における動画チェック／アドバイス　5回

あくまでも一例ですが、1ステップ2週間と仮定して、トータル3ヶ月のカリキュラムが完成しました。個人コンサルの場合は、カリキュラムとは別に、個別相談の枠を複数回設けると、個人案件への実践的なアドバイスなどができるため、顧客満足度が上がりやすくなります。

さて、カリキュラムを作るうえで大事なポイントが3つありますのでそれぞれ解説していきます。

ポイント①ゴール地点を明確にする

人は「これを買えば自分の望みが叶えられる！」と思えればその商品を買います。そのためには、あなたの商品が「誰の」「どんな望みを」「どうやって叶えるのか」がすぐにわかる**わかりやすさが大切**です。

わからないものに人はお金を払いません。あなたが商品を売るお客様は、初めてあなたと会う人です。初めて対面する人でも一発で商品の良さが理解してもらえるよう、**誰が見てもわかるように「目指せる姿」を明確にする**のです。

それぞれのゴール地点によって、カリキュラムの設計は変わりますから、初めに明確にしておきましょう。

この場合の顧客は、ステップ２で設定したペルソナを想定してください。あなたの商品の一番のファンになってくれる可能性のある人が、一番のファンになれるように満足できる内容を設計するためです。

先ほどの動画編集を例に、ペルソナごとのゴール設定の差を見てみましょう。

【例】

①ペルソナ：まったく動画編集ができない人
ゴール：エンタメ系YouTuberの長尺動画レベルの編集ができるようになる

②ペルソナ：すでに一定の動画編集ができる
ゴール：案件を獲得して月5万円以上稼げるようになる

③ペルソナ：すでに動画編集で月5万以上の売上を得ている人
ゴール：月30万稼ぎ、動画編集の仕事で独立する

ゴールの設定は自由です。まったく動画編集のできなかった人が、月5万円を稼げるようになるというゴールを見据えて商品を設計しても構いません。

ただ、ゴールを高くすれば達成するまでのカリキュラムは長くなります。その間、顧客が継続できそうか？単価が高くなっても払ってもらえそうか？など、バランスを考えて設定するのがいいでしょう。

ゴールが決めにくければ、**競合調査に立ち返ってみましょう。**競合がA地点とB地点をどう設定してアピールしているのかを分析し、顧客の求める価値を鑑みたうえでゴールを設定してください。

競合とは異なる目標設定にすれば差別化にもなります。

ポイント②自分が絶対に成果を出せるカリキュラムにする

商品内容を設計するうえで、**絶対に成果を出せるカリキュラム作りは鉄則**です。例えば、3ヶ月で5キロ痩せると謳っておきながら、現実的には3ヵ月で5キロ痩せられないようなカリキュラムはNGです。

衝撃的な数字を見せて売ることは様々な業界でよく使われる手法ではありますが、非実現的な内容は販売後のクレームやトラブルにつながるので、絶対にやめましょう。

コンテンツビジネスの商品は、**実際に成果がでて、顧客満足度が上がって、口コミが広がって売れていくサイクル**が前提です。結果があってこそ、顧客の信頼が得られ、事業の継続性が生まれるのです。

ポイント③顧客がなるべく楽ができる内容にする

カリキュラムを作る時は、顧客がなるべく楽ができる内容を心がけましょう。顧客の立場になって考えてみれば、色々なアイデアが生まれてくるはずです。

例えば、ライティングスキルが商品であれば、テンプレートをたくさん用意して活用できるようにすると、顧客が考える部分が減るので楽になります。サポートが手厚ければ手厚いほど、ファンになってくれやすいでしょう。

ポイント④具体的にアクションしやすい内容にする

スキルの知識を説明するだけのカリキュラムだと、顧客は「結局何すればいいの？」と途方に暮れてしまう場合がほとんどです。

自分が顧客の立場になったなら、具体的に取り組む内容を教えてもらう方が助かりますよね。

カリキュラムでは、目の前に用意されていることにそのまま取り組めばいいくらいの、具体的なアクションができる情報を用意します。

【例】1週間の糖質制限による体質改善
知識：糖質を取らないようにする
予想される顧客のリアクション：じゃあ1週間をどう過ごせばいいの？
具体的アクション：糖質制限しやすいレシピを具体的に提供して実行してもらう

ポイント⑤小学生でもわかる内容にする

顧客の中には、学びたいと思っているジャンルへの知見がまったくない人もいます。専門用語などは、わかりやすく言語化していきましょう、目標は、小学生でもわかる内容の説明にすることです。

わからなくてもなんとなく質問できずに済ませてしまい、後から「わかりにくかった」などの口コミを書く人もいます。常に、誰もがわかる内容を心がけましょう。

必要情報を決める

カリキュラムの設計ができたら、あとはセールスに必要な商品の具体的な情報を決めていきましょう。

― 商品名の決定 ―

商品名の決定には、次の2つのパターンがあります。人間は楽をしたい生き物なので、目標を実現できることがすぐわかる商品名が好まれます。

①定量的（数字）なパターン：【例】3週間で10キロ痩せる！

②手法的パターン：【例】腸活でダイエット！

コンサルティングであれば一般的な企業ビジネスのように商品が独り歩きするこ

とはありません。それよりも商品内容の方が重要です。**キャッチーさなどにこだわりすぎず、わかりやすい商品名を考えましょう。**

― 価格設計の考え方 ―

商品の価格は、これまでの**市場調査や競合の価格を比較して、その業界の相場感、影響力、立ち位置を考えて設定**します。

自分の商品によほど自信があれば相場より高く設定することもありますが、ＰＭＦの達成と顧客に実積を出させることを優先するため、競合よりも低単価で出すのがおすすめです。

一方で**自分がいくら稼ぎたいのか、その目標を見据えて価格設計をすることも必要**です。あまり安く提供しすぎても、労力ばかりがかかって稼げないという結果になってしまいます。覚悟を決めてビジネスを始めたのですから、自分の目標も達成が見込める価格に設定しましょう。

どれくらいの金額を稼ぎたいのかは、**価格×人数**で試算します。

100万円売り上げたいという目標があれば、価格10万円×10人、価格25万×4人などのパターンが考えられます。自分の商品がいくらなら買ってもらえそうか？何人の顧客を請け負うことができそうか？どのくらい顧客を獲得できそうか？のバランスを考えて決定しましょう。

一つ覚えておいてほしいのは、**現段階の価格はあくまでも仮**であるということです。

最終的な価格決定は、次のステップでトライアルをしてもらった後に、「この商品ならいくらで買いたいか」を集めたモニターにヒアリングして決定します。商品の内容も価格も、今後調整が発生する前提で考えてください。

エレベーターピッチに落とし込む

商品内容の設計が一通り終わったところで、その商品のエレベーターピッチを考えてみてください。

エレベーターピッチとは、**エレベーターに乗っている30秒程度の短い時間で、商品の要点について語る手法**です。短時間のプレゼンテーションと考えればよいでしょう。

- **どんな商品を提供するか**
- **顧客のどんな課題が解決できるのか**
- **競合との明らかな違いは何か**
- **顧客が対価を支払う理由は何か**

4つのポイントを30秒以内で説明できるようにまとめることで、「誰のために」

「どんな課題解決のために」「何を提供するのか」が自分にとっても明確になります。エレベーターピッチでわかりにくい箇所があるならば、顧客課題を解決できていないのかもしれません。

次のようなテンプレートに自分の商品を当てはめて、エレベーターピッチを作成してみてください。

実際に喋ってみて、第三者にわかりやすく伝わっているかも検証するといいでしょう。

図10 エレベーターピッチのテンプレート

［**潜在的なニーズ・課題**］したい/を解決したい

［**ターゲット顧客**］向けの

［**プロダクト名**］というコンテンツは

［**商品が叶えられる望み・お金を払う理由**］ができ、

［**最有力の競合・商品**］とは違って

［**決定的な差別化ポイント・バリュープロポジション**］が備わっている

ステップ4 自分の商品が「顧客の課題を解決できるか」を検証する

商品が顧客ニーズに合致しているかを検証する

ステップ3で商品内容の設計を行い商品の構築ができたら、ステップ4では**商品が顧客ニーズに合致しているかどうかを検証していく**フェーズに入ります。

新規事業では、この**検証フェーズが一番重要**と言っても過言ではありません。設計した商品が本当に顧客の課題に沿った商品なのか、商品のトライアルモニターを募集し、実際の商品を使ってもらいながら確認していきます。

顧客の声は、**PMF達成のためには最も大切なヒント**です。モニター調査はリアルな声を聞くことができる場。フィードバックに合わせて商品をブラッシュアップしていくことで、市場で「売れる商品」になっていきます。

モニターを集めるためには、**SNSを活用します**。プレゼントキャンペーンを打ち、公式LINEに顧客リストを集めてモニターを募集する流れです。
まずやることとは、公式LINEに登録してくれる人を集めるための、**SNS構築とアカウント育成です**。

SNSの構築

SNSの構築については、色々なところで詳しい情報が溢れていますから、ここでは必要最低限の簡単な説明に留めておきます。それぞれの媒体で特徴があったり、伸ばし方のノウハウが違ったりしますので、詳しくは書籍やインターネットで情報を集めてみてください。まるおの講座ではこのSNSマーケティングについても教えています。

まずは各SNSの特徴を押さえましょう。
SNSには、**フロー型**と**ストック型**があります。

フロー型SNS：X／Instagram／LINEなど
ユーザーの投稿がどんどん流れていくようなプラットフォームを指しています。どんなことが起きているかという、**鮮度の高い情報が主軸**となっています。

ストック型SNS：ブログ／YouTube／note／TikTok
情報がアーカイブされていて、検索して役立てる使い方です。

モニターを集めるためには、フロー型のSNS（X／Instagram／LINE）を活用します。

ストック型SNSから始めてもいいですが、ブログなどはSEO知識が必要ですし、YouTubeやTikTokなどの動画投稿は、制作のハードルが高く、構築に時間がかかります。

ゆくゆくローンチした後は、商品特性に応じてストック型SNSを使うことも視野に入れたほうがいいですが、モニターを集める段階ではフロー型SNSのプラットフォームの方がPDCAを早く回せます。

また、XやInstagramは、**ユーザーの興味・関心に合わせて「おすすめの投稿」をどんどん表示してくれるAIアルゴリズム**が働きます。評価の高い投稿を作ることができれば、フォロワー以外のユーザーにも投稿が広く届いていきます。

※YouTubeやTikTokもAIアルゴリズムの仕組みは同様です。

図11 SNSの種類

フロー型

プラットフォーム	ユーザー傾向	媒体特性
X (旧Twitter)	20代～40代が多い傾向	・リアルタイム性の高さが魅力 ・ビジネス寄りの商品向き
Instagram	10代～50代 女性中心	・女性向け商品の親和性高
LINE	ALL	・メッセージツールとしてインフラ化

ストック型

プラットフォーム	ユーザー傾向	媒体特性
YouTube	ALL	・年齢性別問わず幅広いユーザーが活用
TikTok	10代～20代	・短尺動画のため制作が比較的簡単 ・若年層向け商品はおすすめ
ブログ	―	・PV数が稼げればアフィリエイト収入の期待もできる
note	―	・有料コンテンツの販売が可能 ・ECサイトと連携可能

出典：総務省『令和4年度 情報通信メディアの利用時間と情報行動に関する調査』を参考に著者作成

― 名前を付けてプロフィールを書こう ―

ＳＮＳアカウントでは、名前の付け方も重要です。名前やプロフィールの情報から**商品の信頼性や魅力などが判断されます**。呼ばれたい名前の隣に、権威性のある実績を載せるのがポイントです。

投稿ポストがユーザーのタイムラインに表示された時に、「何をしている人なのか」「どんな権威性があるのか（実績）」などが一目でわかるように作りましょう。

【例】まるお｜最短最速コンテンツビジネス｜３週間で売上０→３５００万｜８ヶ月で売上０→1.6億突破

【例】もんちゃん｜ずぼらダイエッター｜マイナス30kg達成！超簡単レシピと１日５分のストレッチだけで成功

─ プロフィールを書くポイント ─

SNSの名前同様に、**自分は何をしているのか、実績、年齢、肩書、経歴、共感を促すモットーなど**をわかりやすくプロフィールに記載します。実績ばかりでなく、失敗談も記載することで共感を得やすくなる場合もあります。

名前やプロフィールにわかりやすく情報を掲載する目的は、SNSコミュニティの構築です。有益な情報発信で自分に興味を持ってくれる人を増やすためにも、名刺代わりとして名前とプロフィールの明示が必要なのです。

コミュニティを形成していく

アカウントができたら、後に行うプレゼント企画を広めてくれるコミュニティを形成していきます。

コミュニティ形成の目的は、**ポスト（投稿）への滞在時間を伸ばすことと、いいね・リポストなどのリアクションを獲得する**ことです。

ＡＩアルゴリズムに自分の投稿が「ユーザーにとって良い投稿（興味深い情報）」であると認識させて、たくさんの人のタイムライン（Ｉｎｓｔａｇｒａｍの場合は発見欄）に表示させて認知度を上げて広めていくのです。

※厳密に言うと、ＸとＩｎｓｔａｇｒａｍでは投稿の評価指数の点数配分が違ったり、投稿を作るコツが違ったりします。ＳＮＳのアルゴリズムは日々更新されていくため、インターネットなどから最新情報を取得してください。

─「いいね回り」とリプライで自分のアカウントの認知を取る─

コミュニティ形成のために最初にやることは「いいね回り」です。最初はフォロワーがゼロのため、自分と近いコミュニティを作り、今後のポストを拡散したり、インプレッションを稼ぐためのファンを獲得していきます。

「いいね回り」は次の手順で行ってください。

①競合アカウントを調べる
②競合のポストに返信をしている人・「いいね」を押しているアカウントをピックアップ
③そのユーザーのアカウントページに飛び、オーガニックポストに「いいね」を押す

競合アカウントのポストにいいねやリプライ、リポストをしているユーザーは**アクティブなアカウント**です。リアクションがもらいやすいユーザーを集めるのが手っ取り早いのです。

また、その**アカウントのオーガニックポスト（本人が投稿しているポスト）**にいいねをしましょう。その人が考えたことや発信したいことに「いいね」をしてあげることで、自己顕示欲を満たしてあげるのです。それを繰り返すと、自分のアカウントに気付いてもらいやすくなります。

P．113で、Xのリポスト／リプライを外すコマンドも紹介していますので、ぜひ活用してみてください。

その中でも、**自分のビジネスにとっても有益だと思った情報にはリプライをして交流するのも良いでしょう。**特にXでは今、リプライの文化が重要視されていいます。無差別にリプライを返すのは手間もかかりますし、自動アカウントだと誤認を招くのでおすすめしませんが、リプライは相手にも喜ばれ、認知もされやすくなるので、共感できる投稿などにはリアクションを残してもいいと思います。

一つ注意するとすれば、できるだけ自分からはユーザーをフォローしないという点です。自分からフォローしてしまうと、相手はフォローされたことに満足してしまってこちらのアカウントをフォローしてくれない可能性があります。向こうからフォローしてくれる状況が作れるとベストです。

── 有益な情報を発信してコミュニティを確立する ──

有益な情報発信は、最近のSNSでよく見かける手法です。「自分にも役立つかも」と思わせ、投稿をしっかり読んでもらうことで滞在時間を伸ばし、リポストなどのリアクションを獲得しています。

有益なポストには、2種類が存在しています。

①ストック型のポスト

自分が持っているノウハウやスキルを具体的に書くポストです。

【例】

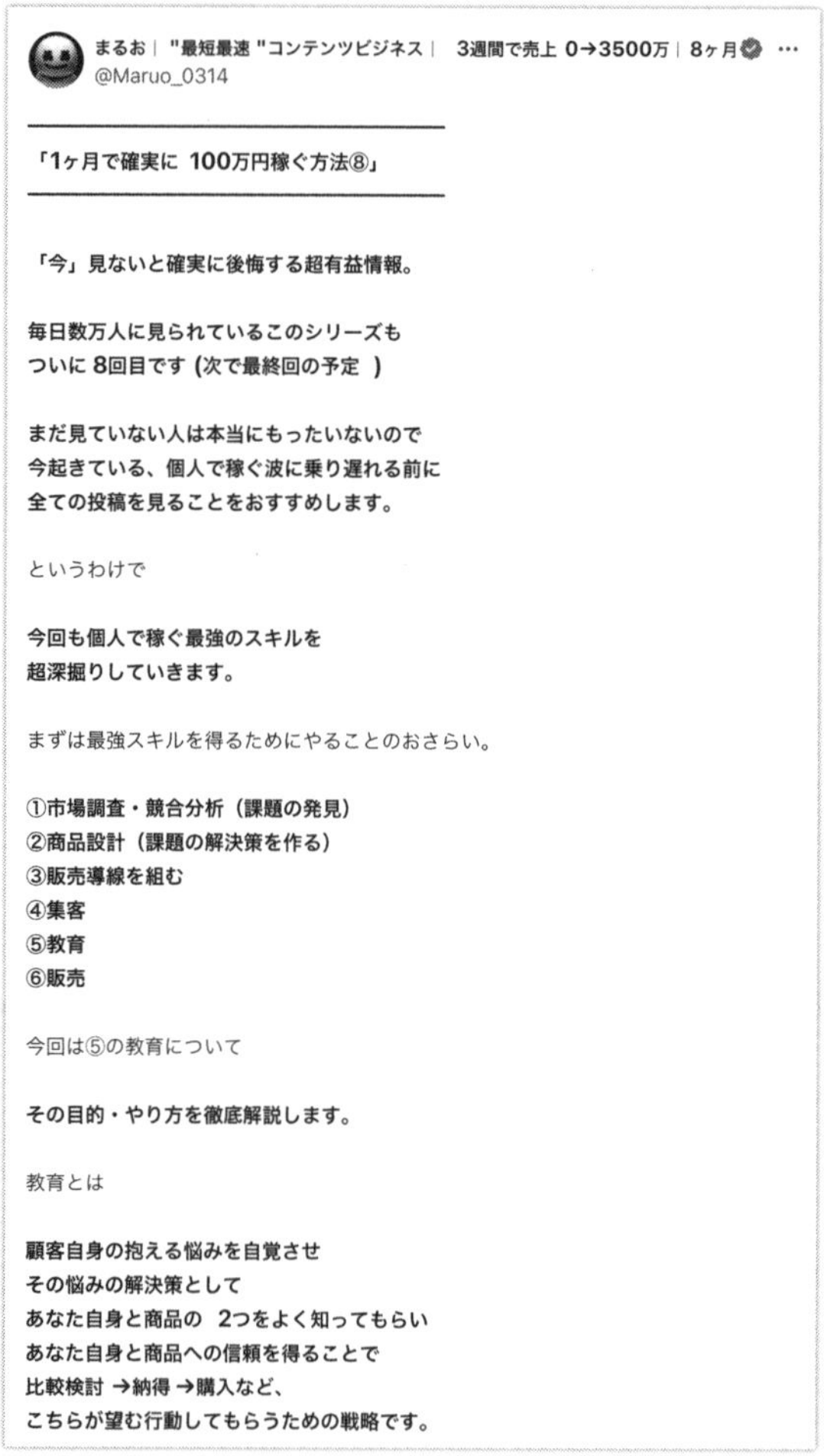
まるお｜"最短最速"コンテンツビジネス｜ 3週間で売上 0→3500万｜8ヶ月
@Maruo_0314

「1ヶ月で確実に 100万円稼ぐ方法⑧」

「今」見ないと確実に後悔する超有益情報。

毎日数万人に見られているこのシリーズも
ついに 8回目です（次で最終回の予定 ）

まだ見ていない人は本当にもったいないので
今起きている、個人で稼ぐ波に乗り遅れる前に
全ての投稿を見ることをおすすめします。

というわけで

今回も個人で稼ぐ最強のスキルを
超深掘りしていきます。

まずは最強スキルを得るためにやることのおさらい。

①市場調査・競合分析（課題の発見）
②商品設計（課題の解決策を作る）
③販売導線を組む
④集客
⑤教育
⑥販売

今回は⑤の教育について

その目的・やり方を徹底解説します。

教育とは

顧客自身の抱える悩みを自覚させ
その悩みの解決策として
あなた自身と商品の 2つをよく知ってもらい
あなた自身と商品への信頼を得ることで
比較検討 →納得 →購入など、
こちらが望む行動してもらうための戦略です。

これは、まるおのXのポストでインプレッション数（表示回数）の高かったものの一例です。まるおの**講座で提供している情報の一部を開示**して、すぐ役立つ情報や、どんなスキルが習得できるのかを知らせる予告編的なポストとなっています。

商品から一部転載するだけでいいので、一度時間を設けてストックを作っておけば、投稿するのも手間がかかりません。

ユーザーからの反応がよかったポストは、**定期的に自分自身でリポストを繰り返して上位に表示させるのがおすすめ**です。どのユーザーも、SNS上でその瞬間初めて出会うものだと意識して、何度も同じポストを繰り返して情報を新鮮に保つのです。

②普通のポスト

普通のポストでは、自己啓発や信念、自分の過去の経歴などを書いて投稿します。自分のパーソナリティを見せるのに近いもので、ユーザーからの共感を得たり、ファンになったりしてもらえるポストを心がけます。

ポストを0から作り上げて書いていくためには、ライティングスキルが必要です。ライティングが苦手な人も得意な人も、まず競合アカウントのいいねが100以上の投稿を50本以上収集しましょう。それを手本に、自分のスキルでポストを書く練習をします。一定以上の数の投稿を読むことで、傾向やコツが見えてきます。

他にも、インフルエンサーの本を買ってメンションしてリポストしたくなる投稿をする、無料セミナーの感想を長文で書くなどといったことも効果的です。

―6時、18時に予約投稿―

ターゲットとするユーザーが多くプラットフォームを閲覧している時間帯に、計画的に投稿することでインプレッションを増やすことができます。季節や曜日やターゲットによってもアク

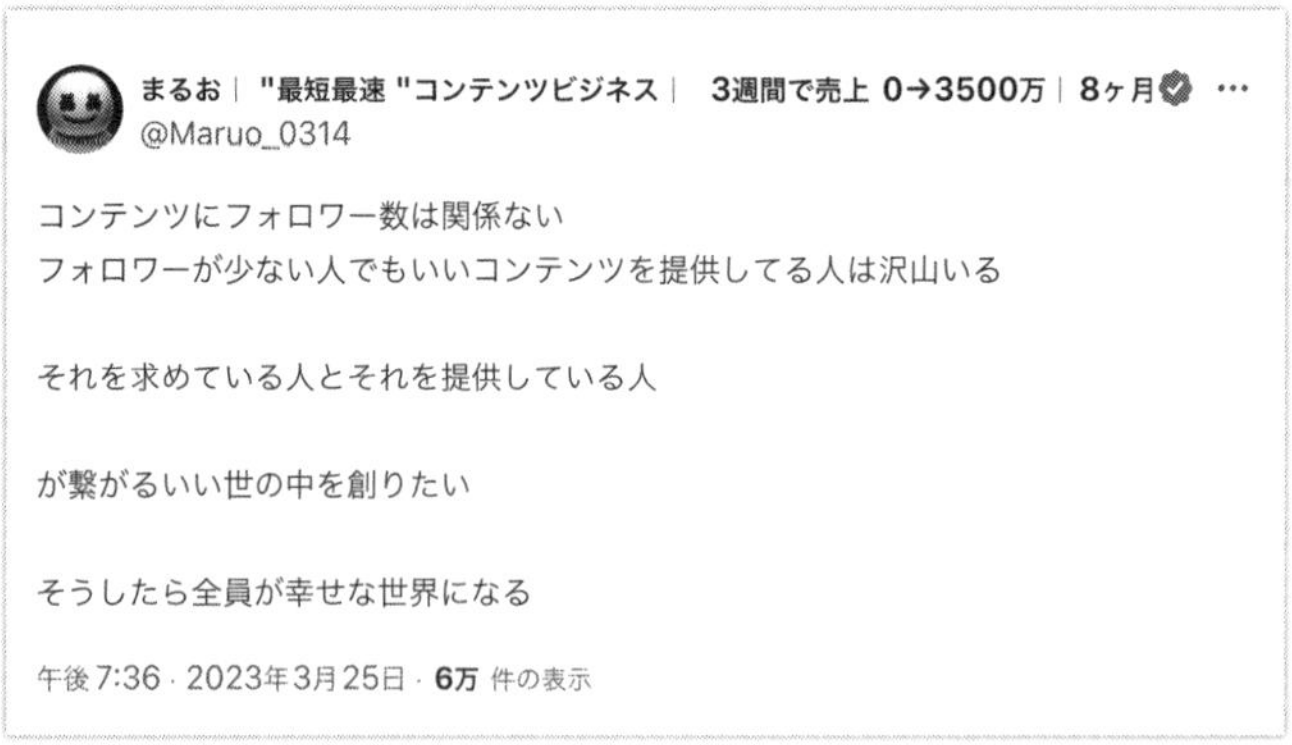
まるお｜"最短最速"コンテンツビジネス｜ 3週間で売上 0→3500万｜8ヶ月 …
@Maruo_0314

コンテンツにフォロワー数は関係ない
フォロワーが少ない人でもいいコンテンツを提供してる人は沢山いる

それを求めている人とそれを提供している人

が繋がるいい世の中を創りたい

そうしたら全員が幸せな世界になる

午後7:36 · 2023年3月25日 · 6万 件の表示

ティブユーザー数は多少変動しますが、大体**6時と18時はどのSNSもよく閲覧されている時間**です。

なおXの場合は、無料でも利用できますが、できればオプトイン方式の月額有料制サブスクリプションサービスに加入することがおすすめです。Xプレミアムには「ベーシック」（月額368円）、「プレミアム」（月額980円）、「プレミアムプラス」（月額1960円）の、3つのサブスクリプションレベルがあります。ビジネスとして活用していくのであれば、おすすめは「プレミアムプラス」です。For You（おすすめ）／Following（フォロー中）の2つのタイムラインで広告が無しになるほか、返信の最大ブースト、長時間の動画や長文の投稿、X Pro（旧TweetDeck）、クリエイティブ機能など、様々な機能が活用できます。長尺動画や長文ポストができることで、滞在時間を延ばして、ポストも高評価を得やすくなります。

LINE公式アカウントの構築

―下準備としてLINE公式アカウントを構築しよう―

さて、実際にモニターを集めるのはXやInstagramではなく「**LINE公式アカウント**」**に登録しているユーザー**の中から行います。今後待ち受けるセールスの顧客リストにもつながるので、このタイミングで必ず作っておきましょう。

LINE公式アカウントは、**無料でも作成できます**。ただし、無料プランではこちらからメッセージを送る数量に制限があるので、注意が必要

図12　LINE公式アカウントのプラン一覧

	コミュニケーションプラン	ライトプラン	スタンダード
月額固定費（税別）	0円	5,000円	15,000円
無料メッセージ通数（月）	200通	5,000通	30,000通
追加メッセージ料金（税別）	不可	不可	～3円/通

※1　メッセージ通数は送付人数×メッセージ通数でカウントされます。
1通あたり3吹き出しまで送付いただけます。
※2　追加メッセージの単価は配信数によって異なります。

です。
メッセージ数のカウントには個人間のやり取りなども含まれます。実際にモニターに申し込んでもらった場合には都度やり取りが発生しますから、余裕の持ったプランを選びましょう。

【LINE公式アカウントの作り方※PCの場合】

①ビジネス用のLINE公式アカウントのトップページ（https://www.lycbiz.com/jp/service/line-official-account/）にアクセスして、「LINE公式アカウントをはじめる」をクリックする。
②「LINEビジネスID」（https://account.line.biz/signup）ページから、「LINEアカウントで登録」または「メールアドレスで登録」を選択
③ユーザー名とログインパスワードを作成
④会社・店舗情報を登録
⑤登録内容を確認します。完了を押したら、アカウント開設完了です。

⑥ＬＩＮＥ Ｂｕｓｉｎｅｓｓ ＩＤが開設できたら、管理画面で「ＬＩＮＥ公式アカウント」の詳細情報を設定します。

ＬＩＮＥ公式アカウントはもちろんスマホでも作成可能です。スマホの場合は専用アプリになりますが、ＰＣと同じように手順を踏めば開設できます。管理画面もスマホで操作できるので、スマホのほうが管理しやすい人も多いかもしれません。

―ＬＩＮＥ配信ツールを活用しよう―

ただし「ＬＩＮＥ公式アカウント」だけだと、今後セールスをしていくうえでは不十分です。

例えば、**登録した人のリストが見られない**（※相手からメッセージを送信してくれて初めてトーク画面ができ、個別にやり取りができるようになる）、**顧客管理のためのタグ付けができない**など、いくつか不便な点が出てきます。

モニター募集だけなら公式アカウントの開設だけでも問題はありませんが、今後のセールス展開を考えると「Lステップ」などの配信ツールサービスを活用しましょう。

配信ツールは、顧客の育成・集客・マーケティングに幅広く活用できますので、この段階で同時に入れておくのがおすすめです。やはり一番の利点は**こちらからアプローチがかけられること**。ユーザーからメッセージが来ていなくても個別に連絡が取れることは、マーケティング上かなり便利になります。

配信ツールの中では、先ほども名前を出した**「Lステップ」**（有料）が一番機能も充実しています。ただ、高機能すぎて使いこなせないという人が結構多いです。月額コストも高めなので少しハードルが高いかもしれません。

きちんと学べば素人でも扱えるようになっているので、検索しながら構築をしてもいいですが、構築・運用代行サービスを利用してもいいでしょう。コストはかかりますが時間短縮になります。書籍などで「Lステップ」の構築手順を解説しているものもありますから、それを活用してもいいでしょう。

ちなみに、Ｌステップの構築をスキルとして売っている人もいますので、コンテンツビジネスの基礎を学ぶ意味で、そういう商品を購入してみるのも良いですね。自分の学びの機会になるはずです。

プレゼント企画の設計

さて、ようやくプレゼント企画の設計に入ります。

SNSは、よほど徳の高い人か面白い人でもなければ、誰もフォローまではしてくれません。誰にでも役立つ有益なポストでフォロワーを獲得できれば、そんなに簡単なことはありませんよね。誰もが同じような情報を投稿している中で、頭一つ飛び出して注目されるのは難しいでしょう。公式LINEまで登録してもらうには、さらにハードルが高くなります。

そこで**プレゼント企画の登場**です。

プレゼントするものなんて用意できないと思うかもしれませんが、大丈夫です。自分のスキルの一部を切り取ったものなど、何でもプレゼントになります。

【プレゼント例】

転職系の場合：面接までにやることリスト100選

動画編集系の場合：YouTube台本の制作ガイド

まるおの場合：ChatGPTが自動でスライドを作ってくれるシステム

プレゼントの内容は2種類あって、前の2つは**見込み顧客を集められる企画**（**商品の一部をプレゼント**）で、私が提供したのは**トレンドに乗っている企画**（**ChatGPTなど、トレンド要素の強いもの**）です。SNSの投稿テンプレート30選など、顧客を楽にするプレゼントが喜ばれ、反応が良いです。

プレゼントに迷ったら、自分の商品と近い競合アカウントが行っているプレゼント企画を参考にしたり、見込み顧客となりそうなユーザーが過去にいいねやリポストしているキャンペーンを調べてニーズを探ってみてください。自分のスキルに応用できそうなプレゼント企画が必ず見つかります。

── 受け取り条件を設定してSNSを有利に ──

プレゼント企画の一番の目的は、LINE公式アカウントへの登録をしてもらいモニターの候補（顧客リスト）になってもらうことですが、合わせて、**SNSアカウントを伸ばすことができるメリット**があります。それを実現するのが受け取り条件の設定です。

基本的には**「フォロー」「リプライ」「リポスト」**の3つを条件にするのがいいでしょう。この条件を設定することで、副次的な効果も得られます。

- **フォロワーが増える**
- **リポストによって投稿が拡散される**
- **反応が良い投稿としても拡散していく**
- **結果的にモニターが集めやすくなる**

一石四鳥なので、ぜひこの条件指定にしてください。

「引用リポスト」も条件に入れるとさらに良いですが、かなりハードルが高くなるので、プレゼントの内容と自分の信頼度をベースにプレゼント条件を検討してください。

― プレゼントの受け取り導線の設計 ―

プレゼントが決まったら、受け取り導線の設計をしましょう。なお、**プレゼント送付までの導線は、Lステップなどのツールを導入しているか、していないかで異なります。**

それぞれ流れを解説していますので、参考にしてください。

【Lステップツールを導入している場合】

①Xでプレゼントキャンペーンの発信

②①の発信にツリーにする形で公式LINEのURLを投稿
③登録が確認できたアカウントにプレゼントを配信※Lステップで自動配信設定にしておくとよい

【Lステップツールを導入していない場合】
①Xでプレゼントキャンペーンの発信
②発信のポストにツリーで「キーワード」と「LINE公式アカウントのURL」を投稿
③キーワードが送られてきたアカウントにプレゼントを配布

プレゼントの送付方法は物によって異なりますが、データの場合はデータをそのまま送付するか、共有用のURL等を活用して送ってください。

図13　プレゼントキャンペーンの手順

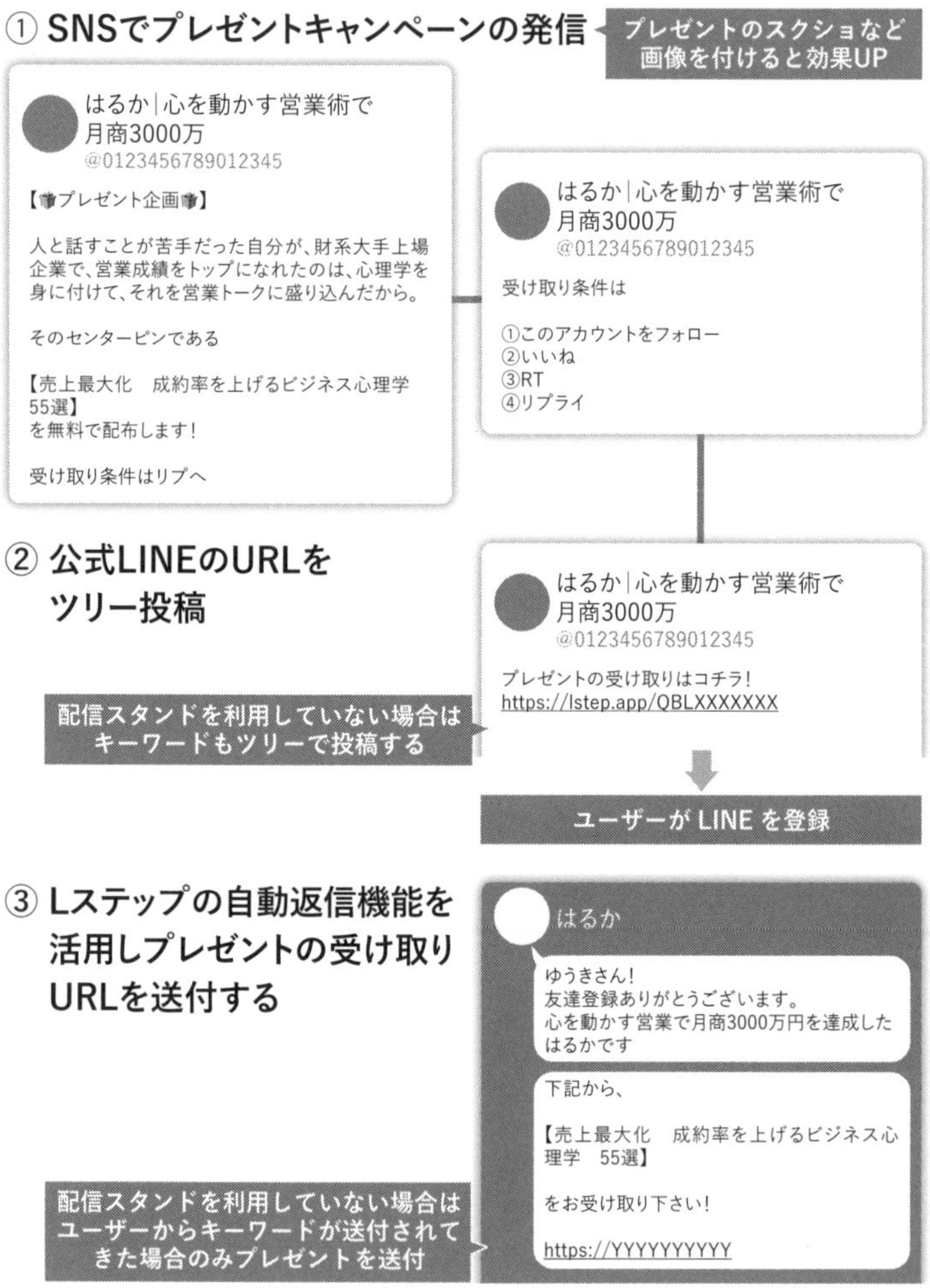
① SNSでプレゼントキャンペーンの発信
プレゼントのスクショなど画像を付けると効果UP
はるか|心を動かす営業術で月商3000万
@0123456789012345
【プレゼント企画】
人と話すことが苦手だった自分が、財系大手上場企業で、営業成績をトップになれたのは、心理学を身に付けて、それを営業トークに盛り込んだから。
そのセンターピンである
【売上最大化　成約率を上げるビジネス心理学55選】
を無料で配布します！
受け取り条件はリプへ
はるか|心を動かす営業術で月商3000万
@0123456789012345
受け取り条件は
①このアカウントをフォロー
②いいね
③RT
④リプライ
② 公式LINEのURLをツリー投稿
はるか|心を動かす営業術で月商3000万
@0123456789012345
プレゼントの受け取りはコチラ！
https://lstep.app/QBLXXXXXXX
配信スタンドを利用していない場合はキーワードもツリーで投稿する
ユーザーがLINEを登録
③ Lステップの自動返信機能を活用しプレゼントの受け取りURLを送付する
はるか
ゆうきさん！
友達登録ありがとうございます。
心を動かす営業で月商3000万円を達成したはるかです
下記から、
【売上最大化　成約率を上げるビジネス心理学　55選】
をお受け取り下さい！
https://YYYYYYYYYY
配信スタンドを利用していない場合はユーザーからキーワードが送付されてきた場合のみプレゼントを送付

モニター調査で自分の商品の評価を集める

SNSの構築の話が長くなりましたが、ここからが本題のモニター調査です。プレゼント企画でLINE公式アカウントに顧客リストが貯まってきたら、自分の商品をお試しで使ってもらうトライアルモニターを募集しましょう。

大切なのでもう一度振り返りますが、モニターを集める目的は**自分の商品が顧客のニーズに答えられているかを検証すること**です。

ですからモニターに名乗り出てくれた、**できるだけたくさんの人に商品を提供して検証してください**。もし、候補者があまりにも多い場合、優先するのは自分の商品のペルソナやターゲットに近い人です。ただ、まったくペルソナと異なる人でも、ターゲットを見直すきっかけになる意見をくれたりすることがあります。顧客からの意見は貴重です。できるだけたくさんの人にヒアリングしてください。

モニターを募集する時は、次のように発信するといいでしょう。

【募集の発信例】

LINE公式アカウントへのご登録ありがとうございます！

今日は、特別に無料体験モニター募集のご案内です！

この配信を見てくださった方のうち限定○○名様に、僕が販売している『3週間で5キロ痩せる、ダイエットノウハウ（○○万円コース）』を無料で体験してくれる方を募集しています！

ご興味のある方は、返信メッセージにてお知らせください。モニターの権利を獲得された方には、公式アカウントより順次ご連絡させていただきます。

モニター企画を送信すると、何人かは興味を持ってくれるはずです。興味を持ってくれた人には**アンケート対応が必須の旨と、口コミ投稿のお願い**をし、合意が取れたら自分の商品を体験してもらうようにしましょう。モニターが集まらなければ、来るまでプレゼント企画を根気よく実施して、商品の評価を集めましょう。

── モニター調査で確認するポイント ──

モニター調査では、**「ユーザーのフィードバック」「自分のフィジビリティ（実現性）」**の2つの視点から、商品を確認します。具体的には次の3つです。

①【最重要】感想や改善点をモニターから教えてもらう

モニターからのフィードバックで、顧客のニーズに合っている商品なのかを確認します。改善点を見つけ、PMFのためにクオリティを上げていくのに役立てます。

次の項で質問リストを準備していますので、それをベースに確認してください。

②再現性があるかどうか？

今の商品設計で目標達成の再現性があるかを検証します。例えば「3週間で5キロ痩せる」と謳った場合、達成できなかったらクレームにつながります。誰にでもできることなのか、再現性を確認しましょう。

③売上計画をシミュレーションする

工程の煩雑さを踏まえ、自分のキャパシティでどのくらい回せるか、どれくらいの売上を達成できるかを検証します。

例えば、年間で500万円の売上目標を立てていたとします。

実際の商品の設計が1人に対して1週間に1回指導／1回4時間かかるとしたら、8時間労働×5日間だとしても、1週間で最大10人までしか受けられない計算となります。

全体が6ヶ月1セットのカリキュラムを20万円で売ったとしたら、6ヶ月間の売上は最大200万円です。

これでは年間の売上目標は到底達成できません。

この場合は、一人にかける時間を少なくする手段はないか、価格を上げられないか、など、商品の調整が必要になります。

コストに対して時間的な制約はどうか、顧客はそのサービスで満足できるのか、をよく考えて商品を修正してください。その他にも、連絡手段の工夫はできないか、時間を短縮する方法はないかなど、効率面での改善も視野に入れましょう。

── 顧客から聞きたいことを聞き逃さないための質問リスト ──

モニター調査では、フィードバックをもらうことが最重要です。

商品の課題を浮き彫りにするのは、ユーザーの生の声だからです。特に、**不満やクレームなどのネガティブな意見は絶好のチャンス。**明確な課題ですので、改善すれば好転する可能性が高いです。

100%不満なく褒めてもらえる商品になっていればまったく問題ありませんが、そんなことはほぼありえません。日本人は特に、遠慮して批判的な意見を言わない傾向にあります。褒めてもらってばかりの場合は、必ず次の質問リストを活用して、ネガティブな意見も引き出すようにしてください。

モニター全員に聞いておきたいポイントは次の6つです。聞き漏らすとせっかくの機会の損失になってしまいますから、手元にリストをおいて、確かめながら進めてください。

【質問リスト】

①この商品に価値を感じたかどうか
②最も価値を感じたトップ3は何か
③なぜそれらのサービスに価値を感じたのか
④不要なサービス、価値を感じることができなかったサービスは何か
⑤なぜそれらのサービスに価値を感じなかったのか
⑥このサービスを家族や知人に薦めるか

─ 口コミを書いてもらおう ─

モニターを受けてもらった人には、SNSで口コミを書いてもらいましょう。口コミはセールスの後押しになります。口コミを書くことを、モニター企画の条件としておくとよいでしょう。

口コミで効果の出ている人の体験談を読むと、購入へのハードルがぐんと下がります。最近は口コミで総合的に購入を判断するというのが商品購入のスタンダードになっていますから、必ず書いてもらいましょう。口コミを書いてもらったら、自分のSNSで拡散します。口コミが広く拡散すれば、商品への信頼性が増していきます。

ユーザーの声を集め続ける

ユーザーの声を聞くには、左記のような形を取ることもできます。商品ローンチ後も**商品のブラッシュアップのために、カスタマーの声を集め続けていきましょう。**

- **商品を自分で使ってみる**
- **競合商品を使ってみる**
- **モニターに改めてＺｏｏｍなどの対面インタビューを行う**
- **顧客の日常の動向を観察する**（ＳＮＳなどでどんな投稿に「いいね」しているかなど）
- **実際に営業してみて、詳しい改善点を聞き出す**
- **ＳＮＳコミュニティでのユーザーの声の収集**

ユーザーと直接対話し、商品をブラッシュアップすることで、顧客満足度を上げ続ければPMFしていきます。**もらったフィードバックを修正していくことが、一番の差別化につながる**のです。

もし、あなたの商品が「モニターから大不評」だった場合は、もう一度、市場調査~商品設計からやり直したほうが早い可能性もあります。

ユーザーの声は、今後の自分のビジネスに対する評価とイコールと言っても過言ではありません。「自分の商品は理解できない」とユーザーを責めるのではなく、**フィードバックを素直に聞くこと**が最も大切です。

まるお式新規事業発想のコンテンツビジネスでは、ここまで徹底的に自己分析、市場調査、コンセプト設計、そしてモニター調査を行い、すべてを改善してできるのが、**「売れる商品」**です。

私自身も何度もこの流れを繰り返し、検証して今の売上にたどり着きました。

大変に思うかもしれませんが、ここまで徹底的にやれば、もう少しで人生を変える金額が手に入ります。

決済ツールの導入

さて、セールスの話に入る前に一つ、ハード面で行っておきたいのが**決済方法の設定**です。セールスを始めてから決済ツールを導入しようとすると間に合わない場合があるので、このタイミングでお話しします。

決済ツールは、**一般的にサービスとして提供されているシステムを活用**しましょう。購入に際して決済に対するハードルを下げるだけでも成約率が変わってきます。

特に高単価で設定した商品の購入には、**クレジットカード払い、分割払い（あらかじめ支払い回数を決めて支払う決済方法）などの支払い方法の選択肢が複数用意**されていると、ユーザーも助かります。

【決済ツール紹介】

・APPS　UnivaPayプラン　★おすすめ

初期費用が0円。実際に売れた時のみ手数料がかかる仕組み。

カード審査・アカウント凍結に強く、利用者のサポートも充実。

https://page.theapps.jp/signup/introduction.html?c=lYIrOn-vyfAnlpxadNphfA==

・テレコムクレジット

クレジットだけでなく、バーコード決済など様々な支払方法に対応。多様な商品に対応可能。開設契約金（初期費用）やシステム利用料（月額）がかかる。

第5章

商品を顧客に販売する

ついに商品を売る！

―セールスでもまだまだ検証作業を！―

ここまで来てようやく、商品をセールスするフェーズとなります。

しかしセールスをスタートしても、**まだまだ検証作業は繰り返す意識**でいただきたいと思います。一旦、商品を作り上げてセールスにトライしますが、PMFしているかどうかはまだわかりません。実際の価格で、実際の顧客にセールスしたところでさらなる課題が見つかることもあるでしょう。

PMFしていれば、セールスをしなくてもSNSや口コミを通じて飛ぶように商品が売れていくもの。あなたの商品がその状態になるまで、検証を繰り返してください。

セールスを始めて**特に検証してほしいのは、価格**です。実際の価格で売るのは初めてだからです。モニター調査の際には、金額設定的に満足の評価をもらった場合でも、「実際にお金を支払う」となると、人はさらにシビアに評価をします。

もし、顧客のニーズにフィットしているのならば、高い成約率で売れていくはずです。

―「自分」と「商品」を売る―

顧客は、「素性のわからない人（企業）」や、「よくわからない商品」は買いません。

自分が顧客の立場になったとしてもそうですよね。セールスでは、「**自分**」と「**商品**」、この2つをよく理解してもらうことが重要です。

コンテンツビジネスのセールスでは、特に「売る人＝自分」も重要な鍵を握っています。その人からノウハウを教わるわけですから、信頼できる人がいいのは当然、できるだけ空気感やしゃべり方など様々な側面が「好き」と思える人が先生の方がいいですよね。

「この人の商品なら買ってみてもいいかな」と思ってもらえて初めて、商品についての話を聞いてみようという気持ちになっていきます。

顧客は、「商品」だけでなく「売る人＝自分」もセットで購入してくれています。

この前提をしっかり心に刻んで、今まで集めた公式ＬＩＮＥのリストに対して、セールスを働きかけていきましょう。

セールスに挑む心構え

実は、私もセールスに関しては、大手企業で営業成績トップだった方にお金を払って教えてもらいました。今からお伝えする**心構えの部分は、その方がお客様に向き合ううえで最も大切にしていた部分**です。

ですので、まず一番に、心構えのポイントとしてお伝えします。

私自身、この心構えでセールスし、セールスをするたびに自分のセールストーク、顧客の心が動くポイントを磨き上げた結果、成約につなげることができました。

実は、まるお式新規事業発想のコンテンツビジネスのノウハウは、セールスが強いことも自慢です。その根底には、この心構えが前提としてあるので、ぜひ皆さん覚えてください。

ポイント①無料で来た／購入しなかった人にも満足度を上げていく心づもりで臨む

セールスを行う商談の場は、**直接対話して、自分と商品を理解してもらい、信頼度を上げる大きなチャンス**です。

無料だからとりあえず来たという人、タイミングが合わなくて購入しなかった人にも、**セールスの場で何か得ることがあるようにトークしましょう。**

商談を進めるうちに、お客様が商品を買いそうかどうか、ある程度見えてきます。その時に、買わなそうなお客様に対して対応が雑になる人がいます。これは会社勤めのサラリーマンでも見られる光景です。

しかし、雑な対応は絶対NG。購入に至らない理由は人それぞれです。たとえ買わなかった人でも、後日、まとまったボーナスが出た時に申し込みをしてくれたり、商談を経た感想をSNSで投稿してくれたりします。なぜ買わないかの理由が、自分の商品にとってのフィードバックになることもあるはずです。「**少しでも興味を持って、商談する機会をわざわざ作ってくれた人」を大切にする**という姿勢で臨みましょう。

ポイント②セールスは、相手に8割話させる（とことん相手の話を聞く）

セールスの場になると、自分の話や商品の良いところばかり話してしまう人がいますが、それでは成約につながりません。

大切なのは、**8割をお客様に話させること**。つまり、とことん相手の話を聞くことです。

お客様は自分の課題や悩みを解決できるのではないかという期待を持って商談に来てくれています。自分はそのお客様の課題・悩みを本気で解決したい、この商品で解決できるのだという真摯な姿勢で対峙しましょう。

また、**対話の基本は笑顔**です。セールスでは常に笑顔でいてください。印象が悪かったら、相手も不快になって心の底の悩みまで話したくなくなり、「もういいや」と心を閉じてしまいます。

とはいえ、ほとんどの人は、心の奥底に眠っている悩みをいきなりべらべらと話したりしません。

ですから、まずはその悩みを引き出す姿勢を取るのです。

それが相手に8割話させることなのです。相手の想いを真剣に聞き、細かい言葉も聞き逃さず、言葉の裏を探るように話を聞きましょう。

言ったことを聞き逃さないために、メモをとるのもいいでしょう。

悩みを自分が解決できないか？を寄り添って真剣に考えている姿が、相手の心を動かします。

セールスの流れと意識するポイント

①夢を見させる台本を作成する

私がセールス台本の作成で重要視しているのは**「夢を見させること」**です。「悩みが解決した未来の自分の姿」を想像できるような台本のベースを作っています。未来の姿を実現できるように商品を買ってもらうという流れを作るのです。

実際のセールスは、一対一の会話ですから、台本通りいかないことがほとんどです。**重要なのは、話の展開を押さえておくこと**です。さらに、台本を用意しておくことで説明の抜け漏れが防げますし、自身の緊張もやわらぎます。

②始まりは感謝から

セールスは、まず相手に感謝を述べるところから始まります。相手にとって貴重な時間を、商談のためにいただいたというスタンスで挑みましょう。感謝されて悪い気がする人はいませんので、**必ず毎回全員に感謝する**ようにしてください。

③何度も名前を呼ぶ

お客様の名前を呼ぶことは、意外に重要です。距離が近くなり、相手も親近感を持てるようになります。まるおは、隙あらばお客様の名前を呼ぶようにしています。心のハードルを下げ、相手の本当の悩みを聞き出せるくらい親しくなれたほうが、セールスは有利です。

④自己紹介は、数字を用いた実績をわかりやすく

「私は3週間で売上3500万円を達成したまるおと申します。」といったように、自分の名前にプラスして、**わかりやすく数字を用いて実績を紹介しましょう**。

さらに続けて、過去に商品を買った方の事例やSNSでの実績を紹介することで、権威性を強めることができます。この時も、○週間で○○円売り上げた、○日でフォロワー○倍など、数字を使ってください。実績に関しては、数字の信ぴょう性を高めるため、スクリーンショットを撮っておくなどして、資料を用意しておきましょう。

⑤自分のスキルに関するクイズやイメージを聞く

緊張を解きほぐすアイスブレイクです。まずは質問を投げかけて、会話のラリーを成立させることが重要です。

返答の後は、相手に話させることを意識しましょう。なぜそう思ったのか、他に感じたことなど、簡単に問いかけて、相手が話しやすい空気を作ります。

⑥相手の話に共感する

まずは、**自分から先に心を開くのが鍵**。相手の話に共感しつつ、話を膨らませていきます。「自分は最初こう思った」とか、「○○さんのおっしゃる通りで…」という感じで簡単にでOKです。

⑦相手が興味を持ったきっかけを問いかける

お客様が少なからず自分の商品に興味をもってくれたきっかけは、自分の悩みが解決できると思ったからです。自分の商品のどこに興味をもったのか、どの部分を魅力的に感じたのかを把握できると、お客様の悩みの本質がわかりやすくなります。

⑨最初の30分は、とにかく聞く

お客様の話を聞くことはセールスの真骨頂です。最初の30分は、とにかく共感しながら相手の話を聞きましょう。自分の主張を最後まで話すと、人は心が緩むし、満足度が高くなります。適度に相槌を打ったり、相手の言葉を反復（オウム返し）したりして、とにかくお客様の考えていることを引き出します。

コツは、テンションをお客様に合わせることです。話すことが好きな人は、うまく共感しながら話を進められればドンドン前のめりに話してくれるでしょうし、話が苦手なひとは、少しずつ静かに話すでしょう。

相手の話を催促してはいけません。話が止まってしまった時は、会話の中から拾ったワードを活用するなどして、簡単な質問で会話を促すくらいにしてください。

この30分は、絶対に途中で相手の話を奪わないでください。心から共感できる部分があると、自分の話を始めてしまう人がいます。そんな時はグッと我慢し、相手が自分の話したいことを最後まで話せる環境を整えてください。

⑩相手の悩みに共感する

お客様の悩んでいる部分には、「自分もそうだったんです」という風に共感してください。相手の悩みを自分事として捉えられているという姿勢を示します。

⑪自分の体験談を入れる

自分自身もその悩みに直面していた時に、商品のスキルに出会って、人生を変えることができたという体験談をここで入れ込みます。

その流れで、お客様のネガティブポイントを自分から話に出しましょう。自分から先に出して、ネガティブポイントをつぶすことが重要です。

ダイエットで例えると、「自分もずぼらなので、継続できるか不安な気持ち、めちゃくちゃわかります。でも、マンツーマンで管理しますし、決して無理はしなくてOKなので…」と、こんな感じです。

この例の場合は、「ダイエットはしたいけど継続ができない」というのが悩みの本質ですね。その悩みを確実に解決して、理想の自分が叶えられる商品であることをしっかりと相手に伝えましょう。

一つポイントをあげるとすれば、**相手への共感や親しみの感情はあっても、いきなりタメ口は禁止です。**親しみを超えて図々しさを感じます。商談に来て下さったお客様ということを忘れないでください。

⑫競合と比較しながら自分の商品のメリットを説明する

自分と同じコンテンツを販売している競合の価格や、コンサルティングの形式などで競合に勝っている点、つまり、**バリュープロポジションの説明**をしましょう。

たいていの場合は、この時点で買いたいか買いたくないかがわかります。

― 商品に興味がなさそうだったら ―

商品に興味がなくて成約に至らなかったとしても、「もし興味があったり質問したいことが出てきたりしたら、SNSやDM、何でもいいので気軽に声をかけてくださいね」と、**つながりを残してセールストークを締めます。**

セールストークの締めとして、2つお客様にお願いをしましょう。

①口コミ投稿を促す

コンテンツビジネスは、口コミでファンを獲得しながら大きくなっていきます。ですから、今日の商談や商品への感想を聞きたい旨をお伝えし、X等での口コミ投稿をお願いしましょう。

②フィードバックをお願いする

お客様からのフィードバックは、貴重です。特に成約に至らなかった場合は、なぜ成約に至らなかったのかを検討することで、さらなるPMFを達成できる可能性を秘めています。ですから、**成約しなかったことを残念がるのではなく、ぜひ意見を参考にさせていただきたいくらいの熱量を持つ**といいでしょう。

商品の良かったところ、良くなかったところ、その他の感想も含め、忌憚のない意見をいただけるようにお願いしましょう。

そして、成約に至らなかったとしても、時間をいただいたことには変わりありませんので、必ず感謝をしてその場を終えましょう。お互いに印象よく終わるのが重要です。

また、ちょっとした小話にはなりますが、オンラインでの商談であっても、相手がオンラインから退出したことをきちんと確認してから、自分が最後に退出するようにしましょう。成約の可否に関係なく、相手に対する細やかな気遣いはセールスの基本です。こうした小さな行動が、商品やあなた自身の評価にもつながります。

― 商品に興味がありそうだったら ―

会話を通して、商品に興味がありそうな手応えを感じたら、さらに商品の魅力を伝えていきます。ここまで来たら、セールスはクライマックスです。

⑬自分がこの商品でどのくらいの効果を得たのか数字を使って再度訴求する

まるおの場合であれば、「自分自身がこのコンテンツビジネスのメソッドに則って、3週間で3500万円売り上げました。」という感じです。顧客のなりたい姿を実現させる数字を使って訴求しましょう。

⑭この商品購入してビジネスを展開した将来の自分を想像させる

30分のヒアリングの中で出てきたエピソードを拾い、この商品で悩みを解消した後に自分がどんな生活をしているかを想像させます。

⑮相手の話から、褒めるべきポイントを見つけて、評価する

相手のことを評価してあげることで、「絶対に理想を実現できる！」という自信を持たせます。商品を購入すれば、絶対に理想が叶えられるのであれば、買いたくなります。まるおの場合は、「とても良いスキルを持っていらっしゃるので」といったように相手の商品となる可能性のあるスキルを褒めるようにしています。

⑯事前に3種類のコースを用意して、真ん中を選ばせる

これは基本的な営業スキルですが、「安いけれどちょっとコスパの悪いコース」「真ん中の値段でコスパの良いコース」「最高のサポートが付くけれど高額のコース」の3種類を提示されると、真ん中のプランを選ぶ傾向にあります。

心理学用語では、**極端の回避性（松竹梅の法則）**とよばれています。

真ん中を選ばせると書きましたが、あくまでも3つ提示すると真ん中のコースを買ってもらう傾向にあるというだけですので、それぞれのコースについて、価格と内容を説明して、納得できるプランを選んでもらいましょう。決裁ツール的に自由な対応が可能であれば、回数等によって金額を調整して提案するのもよいでしょう。

⑰再度、競合と価格や内容を比較する

自分の商品について理解を深めてもらった状態で、もう一度競合と比較します。

先ほどよりもう1ランク、競合に比べてお得に感じてもらうのです。

また、この時に**あなた自身の「お客様の力になりたいんだ」という強い想いもあ**

わせて伝えましょう。競合ではこんなに真摯に向き合ってくれないかもしれない、この人になら任せてもいいかもしれない、と思ってもらうのです。

⑱小さな金額に落とし込んで考えてもらう

月額にしたら月1万円、とか、毎日のコーヒーをちょっと我慢するだけ、など、**夢が実現するならば購入してもいいと思えるサイズの金額**にすることで、購入ハードルを下げます。「将来の自分への投資」というワードもおすすめです。

⑲購入者の声を伝える

実際にこのプランを購入した人の感想や、叶った未来を改めて伝えます。日本人は特に集団心理が強い傾向にあります。みんながやっていて、後悔していないなら安心できると思わせるのです。これは、心理用語で**バンドワゴン効果**とよばれています。

⑳限定性をアピールして、「今でなければ買えない」ことを強調する

もしまだお客様が迷っているようであれば、**限定性をアピールしてみましょう。**

自分たちが数量限定の商品に惹かれるのと同じです。個人コンサルティングには受けられるキャパシティの限界がありますから、限定性のアピールが可能です。「今回と同じ金額や条件では受けられない可能性がある」「この後にも商談が控えている」といった限定性を感じさせるテクニックも交えてみてください。

㉑決済ページへのリンクはその場ですぐ送る

一晩悩ませてしまえば、人はほとんどの場合もう買いません。ビジネスチャンスを逃さないためにも、決裁ページへのリンクは絶対に事前に用意しておきましょう。

悩んでいる方には、いつでも決済できるように先にリンクを送ってしまってもいいです。

ただし、**最終的な判断は必ずお客様自身でしていただくようにしましょう。**決して「今すぐしないと…」といったような煽り文句は使わないでください。

今回は、大まかな流れとポイントを押さえる形でセールスのやり方を紹介しました。この中に、**ビジネスに賭ける自分の熱い想い、顧客への想いなどをぜひ盛り込んでください。**もちろん、自分の語りばかりになってはいけません。「セールスは、相手に8割話させる」ことを基本に、合間に想いをぶつけていきましょう。

もし、このセールスのポイントを押さえても売れない場合は次の3点を振り返ってみてください。

①セールスの流れや、使っている言葉で良くない点がある
②集めている顧客リストが、商品と合致していない
③サービスに対して設定価格が高すぎる

問題のある点は、商談の場でお客さんがどのワードに反応してテンションが下がったかである程度判断することができます。場合によっては、市場調査や商品のコンセプト設計まで戻って検証し直した方がいいこともあります。よく観察をしてポイントを見極め、改善していきましょう。

セールスを繰り返しながら、ＰＭＦを達成したか確認する

まるお式新規事業発想のビジネスの流れは、以上となります。何度も何度も繰り返しになりますが、とにかくこの**一連の検証作業を何度でも繰り返し、ＰＭＦを達成している商品を作り上げてください。**

最後に、ある程度セールスで商品が売れるようになったら、商品がＰＭＦしているかを次の指標で確認してみてください。

①成約率が高い（70〜80％）
②顧客の方から「商品を買わせてください」という状態になる
③自分の受講生から実績が出てくる
④セールスに苦労せずとも、口コミだけで商品が売れていく

ポイントは、**定量的な指標で見ること**です。

セールスを行って、何件か商談がうまくいき、顧客に評価されるようになると、商品が受け入れられていると判断する人が多いですが、ポジティブなコメントは、あくまでも「その人」から出てきた感想です。市場に受け入れられたかどうかはまた別の話。

惑わされずに、しっかりとした定量的な指標で、本当にPMFが達成できているかを確認しましょう。

商品が市場に受け入れられて、顧客の課題を解決できているという状況でPMFが達成されていれば、何も心配しなくてもあなたの商品は飛ぶように売れていくはずです。

もし「違う気がする」「PMFが達成できていない」「定量的な指標が低い」と感じたなら、顧客のフィードバックから、PMFが達成できていないポイントを洗い出して軌道修正しましょう。

おわりに　―　ＰＭＦは一度きりではない　―

私が本書を通してお伝えしたかったことは、「検証作業を繰り返してニーズにあった商品を作り上げる」新規事業発想を、コンテンツビジネスという業界でも当たり前にやった方がいい、ということです。

正直、それだけで勝てます。

途中、ＳＮＳの話など手法的なところもたくさん盛り込みましたが、結論、検証作業を繰り返して、ニーズに合ったものを作る。これが究極です。

変な話、そうしてＰＭＦを達成した商品は、コンテンツビジネスでなくても売れます。ただ、コンテンツビジネスに関しては自分のスキルをベースに商品設計ができるので、個人で稼ぎたい方にはおすすめなのです。

そして、最後にお伝えしたいことがもう一つ。

市場も顧客ニーズも、日々急速に変化しています。

PMFは一度きりではありません。

もっと言えば、PMFを一度達成した商品でも、世の中のニーズが変化すれば、そのPMFの状況は崩れます。これは、大きな市場でも、コンテンツビジネスでも起こりうることです。

図14　PMFしている状態

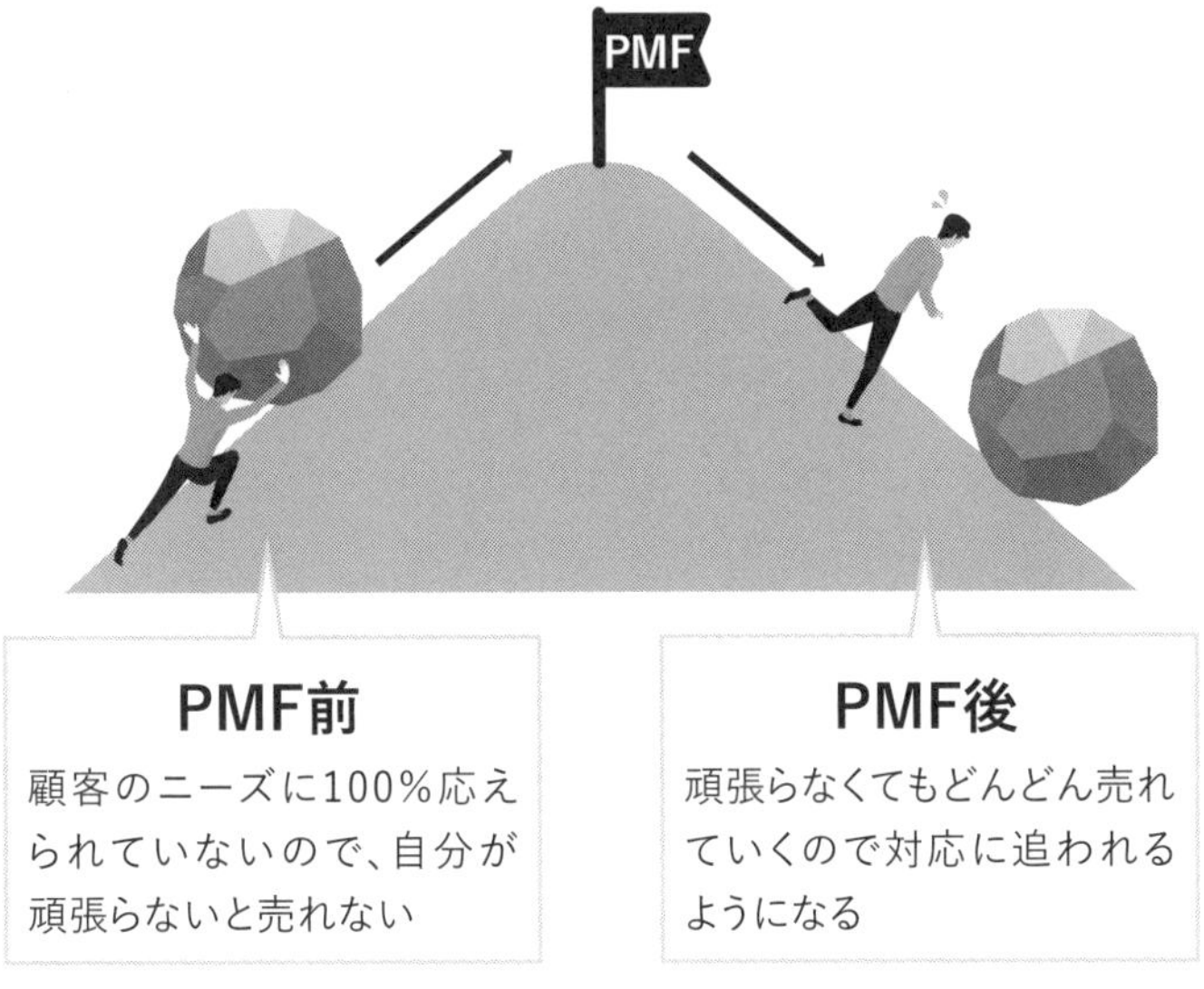
PMF
PMF前
顧客のニーズに100%応えられていないので、自分が頑張らないと売れない
PMF後
頑張らなくてもどんどん売れていくので対応に追われるようになる

身近な例で言えば、Ｔｗｉｔｔｅｒ時代にアカウントのフォロー数や投稿を伸ばすためのコンサルティングビジネスを行っていた人が、ＴｗｉｔｔｅｒからＸになってアルゴリズムが変わったり、Ｘ自体が収益化したりして、今まで提供していた商品内容のままでは立ちいかなくなったのです。

ＰＭＦを一度達成できたからといって、安心してはいけません。どんなビジネスも、胡座をかいていれば、すぐ競合に追い抜かれたり、市場ニーズから置いてけぼりにされたりします。常に変化する顧客ニーズに対応し、ビジネスをスケールするためには、外的環境の変化を察知し、何回でもＰＭＦを達成していかねばなりません。

ビジネスの継続のためにも、成長のためにも、何度も何度もＰＭＦを達成し続けることを目指しましょう。

個人のコンテンツビジネスも新規事業も、ビジネスに向かう意識は同じです。まるおの提唱する新規事業発想のコンテンツビジネスで、あなたの人生を変えてください。

本書をお読みいただきありがとうございました

購入者限定特典のご案内

まるおが0→1で億超えを達成したすべてがわかる

「**新規事業発想の0→1で稼ぐSNS**
×
コンテンツビジネス完全攻略パック」

をプレゼント！

こちらのQRコードを読み取って
公式LINE(URL:https://lin.ee/8pUREQL)から
お受け取りください！

↓

- 最短最速でマネタイズした新規事業家のSNSマーケティング×コンテンツビジネス完全攻略動画
- 【初心者用】誰でもできるプロダクト設計/構築テンプレート
- 【開設1年で2.3万フォロワーを達成】Xで伸びるツイートの型テンプレート
- 【目的別】Xツイート作成管理シート

など、コンテンツビジネスの立ち上げに役立つ知識が盛りだくさん！

※特典の配付は予告なく終了する場合がございます。予めご了承ください。
※特典はインターネット上のみでの配信になります。予めご了承ください。
※図書館等の貸し出しでは特典プレゼントはできません。
※本特典の提供は、まるおが実施します。販売書店、取扱図書館、出版社とは関係ございません。
※お問い合わせはsupport@mou-corp.comからお願いいたします。

SNSマーケター
まるお

株式会社mou　代表取締役

慶應義塾大学大学院卒。大学院卒業後は都内大手テレビ局にてSNSマーケティング部と新規事業部を経験。新規事業部で培ったビジネス知識とマインドをベースに起業し、コンテンツビジネスコンサルタントとして活動。

新規事業の立ち上げに則ったコンテンツビジネスメソッドは最短最速で稼げると話題を呼び、営業開始３週間で3,500万円、X開設8ヶ月で1.6億円の売上を達成。

短期間で100万円以上の成果を挙げた受講生が多数いる。

Xはアカウント開設後１年でフォロワー2.3万人を達成した。

0→1《ゼロイチ》で稼《かせ》ぐ
最短最速《さいたんさいそく》で人生《じんせい》が変《か》わる〝新規事業発想《しんきじぎょうはっそう》〟の個人《こじん》ビジネス

2024年3月21日　初版発行

著　者　まるお
発行者　和田智明
発行所　株式会社　ぱる出版
〒160-0011　東京都新宿区若葉1-9-16
03(3353)2835－代表
03(3353)2826－FAX
印刷・製本　中央精版印刷(株)

本書籍に関する問い合わせ、ご連絡は下記にて承ります。
https://www.pal-pub.jp/contact/

ISBN978-4-8272-1431-4　C0034